L'enfant de Garland Road

Pierre Simenon

L'enfant de Garland Road

PLON
www.plon.fr

© Éditions Plon, un département de Place des Éditeurs, 2019
12, avenue d'Italie
75013 Paris
Tél. : 01 44 16 09 00
Fax : 01 44 16 09 01
www.plon.fr
www.lisez.com

Mise en page : Soft Office
Dépôt légal : avril 2019
ISBN : 978-2-259-26354-2

À Lili, Liam et Liv,
et à toi, mon Dad

Oft hope is born when all is forlorn.
J.R.R. Tolkien

*There comes a time when you look into the mirror and you realize
that what you see is all that you will ever be. And then you accept it.
Or you kill yourself. Or you stop looking in mirrors.*
Tennessee Williams

*He discovereth deep things out of darkness,
and bringeth out to light the shadow of death*
Job 12:22

*No matter the species, the deadliest gender is always the female.
Men will fight until they die. Women will take it to the grave
and then find a way back.*
Sherrilyn Kenyon

L'amour est le désespoir résigné.
Miguel de Unamuno

*Son, he said, grab your things,
I've come to take you home.*
Peter Gabriel

PROLOGUE

Kevin relut pour la énième fois la lettre d'adieu qu'il avait écrite voilà longtemps déjà, la reposa sur la table basse et tourna son regard vers le Colt .45 M1911A1 posé à ses côtés sur le canapé. La délivrance. Tout ce qu'il lui restait à faire, c'était de terminer son verre de vin, d'appeler le 9-1-1, de placer le canon de l'arme dans sa bouche et de presser la détente avant que les secours n'arrivent. Simple, définitif. Il avait répété le scénario cent fois et plus.

Il saisit le téléphone, tapa le numéro. Une sonnerie, puis une voix de femme, professionnelle, précise : «*Nine-One-One, what's your emergency?*[1]» Il allait parler, mais hésita, puis raccrocha. Pourquoi, il l'ignorait. Avec un soupir, il reposa le combiné.

«Demain, peut-être… Oui, c'est ça, demain.»

Même dans le suicide, l'échec le narguait.

Quinze ans auparavant, son existence avait été bouleversée à jamais, lorsqu'elle était morte. Ou était-ce plusieurs années plus tôt, quand elle avait cessé de croire en lui? Ou avant encore, lorsqu'ils s'étaient rencontrés? Qu'y avait-il eu de plus dévastateur – la disparition physique, l'abandon affectif ou la naissance d'un bonheur illusoire? À une époque, il s'était posé la question. Plus maintenant. À quoi bon connaître la cause du mal si celui-ci est incurable? La vie l'avait vaincu, l'amour l'avait détruit. C'était sans appel. *Apprendre d'hier, vivre pour aujourd'hui, espérer pour demain*, avait professé

_____

1. «9-1-1, quelle est votre urgence?»

13

Albert Einstein. Mais ce que Kevin avait appris d'hier, c'est qu'aujourd'hui ne valait pas la peine d'être vécu et demain était sans espoir.

Avec un long soupir, il se leva et replaça le pistolet dans le tiroir du buffet. Puis, après avoir jeté la bouteille de vin vide dans la poubelle et soigneusement lavé le verre dans l'évier de la cuisine, il éteignit les lumières et monta se coucher.

PARTIE I

1

Cela n'avait pas vraiment été le coup de foudre, mais plutôt une attirance mutuelle aussi évidente qu'irrésistible. Ce soir-là – l'anniversaire d'un ami commun qui vivait à Menlo Park, en Californie – s'était imposée à eux, le vin aidant, la prise de conscience qu'ils étaient apparemment faits l'un pour l'autre.

Gracieuse et mince, les traits fins de son visage encadré par de longs cheveux bruns, Nicole avait dans ses yeux en amande de doux reflets dorés, qui se changeaient, il l'apprendrait plus tard, en étincelles malveillantes lorsqu'elle était en colère. Fille d'un puissant Brahmin de Boston, elle avait connu l'enfance somptueuse de l'élite de Beacon Hill avant de tout perdre, à l'âge de sept ans, lorsque son père les avait brutalement abandonnées, elle et sa mère.

« Du jour au lendemain, je suis passée de nantie à dépossédée, avait-elle avoué avec une franchise surprenante. Moi qui avais grandi en me moquant des nouveaux riches, je devins une nouvelle pauvre que personne ne plaignait. Justice immanente, je suppose. »

Elle s'était cependant gardée d'ajouter que, de cette tombée en disgrâce, et des difficiles années qui suivirent, elle avait hérité, outre un souvenir cruel, une confiance parcimonieuse envers ses semblables et une volonté farouche de ne plus jamais manquer de rien – et surtout de ne plus

17

jamais dépendre d'autrui. Cela aussi, il ne le comprendrait que plus tard.

«Après plusieurs années de misère, le remariage de ma mère avec un industriel qu'elle n'aimait pas me donna non seulement une demi-sœur de dix ans ma cadette mais aussi l'opportunité de poursuivre des études de physique au MIT puis d'obtenir un MBA à la Sloan School of Management.

— J'ai entendu dire que tu t'es rendue à Silicon Valley pour essayer de fonder ta propre société de capital-risque, avait-il dit. À vingt-six ans, c'est plutôt gonflé.» Il n'y avait eu aucun sarcasme dans ses paroles, mais de l'admiration et une pointe de doute. Car elle n'aurait pas été la première à venir, la tête pleine de rêves de succès et fortune, se fracasser sur les multiples écueils parsemant le centre mondial de la haute technologie.

Kevin avait alors trente-sept ans. De sa carrure de docker émanaient une force rassurante, une promesse protectrice renforcée par son menton carré et le bleu intense de son regard sous des cheveux blond vénitien en perpétuelle bataille. Malgré le temps et la distance, il n'avait pas perdu l'accent yankee de son Vermont natal, teinté d'ancestrales intonations irlandaises. Plus que sa présence physique, c'était cet accent si familier qui avait attiré l'attention de Nicole. Et l'aisance sans prétention avec laquelle il émaillait sa conversation de citations de W. B. Yeats, de Seamus Heaney et de James Joyce. Sans oublier le tonitruant «*Sláinte!*» avec lequel il portait un toast à ses amis.

Elle avait ri, sans trop de joie. «L'accent doit être mis sur le mot "essayer". C'est un projet que Pete, Assan et moi avons depuis notre première année à Sloan, avait-elle précisé en indiquant d'un geste léger deux jeunes hommes engagés dans une fervente discussion devant la table à alcools. Pour ce qui est du risque, on a tout ce qu'il faut. C'est le capital qui nous manque.»

Une pause, puis un sourire espiègle.

«Tu en sais déjà bien trop sur moi, Kevin. À ton tour de me raconter ton histoire.

— Je te préviens, cela n'a rien d'une épopée», avait-il dit avec un petit rire embarrassé. Était-ce le regard attentif de cette jeune femme qu'il connaissait pourtant à peine ou sa main délicatement posée sur son avant-bras qui lui avait délié la langue? Il l'ignorait. Quoi qu'il en fût, et bien que d'ordinaire peu enclin à parler de lui, il s'était, à sa grande surprise, livré comme jamais auparavant.

«Mon grand-père, Seán O'Hagan, était originaire de Limerick. Adolescent, il a fui les violences de la guerre d'indépendance irlandaise et s'est embarqué à bord d'un cargo à destination de Portsmouth, New Hampshire, travaillant comme soutier pour payer son voyage. Une fois aux États-Unis, de petits boulots en menus larcins, il se retrouva dans le nord du Vermont, où, après avoir fait de la contrebande d'alcool et deux séjours en prison, il épousa la fille du propriétaire d'une érablière au sud de Hinesburg. À la mort du beau-père, il reprit l'exploitation et c'est sur cette modeste ferme que naquirent et grandirent mon père, puis moi-même.»

On ne roulait pas sur l'or chez les O'Hagan. Kevin, fils unique et écolier moyen, avait, outre la littérature, trois passions : la chasse, avec Fran Murray, son amie de toujours, la mer, qu'il avait découverte avec délice lors de rares vacances à Cape Cod, et le football américain. Cette dernière passion l'amena à se rapprocher de la seconde et s'éloigner de la première. Son agilité et sa puissance firent de Kevin le *star running back* de l'équipe de sa high school et lui valurent une bourse sportive au Boston College. Mais sa carrière au sein des fameux Eagles se termina abruptement lors de sa seconde année avec une double fracture du ménisque. Sa bourse retirée, il dut travailler comme gardien de nuit et emprunter auprès de son oncle pour payer la fin de ses études. Son seul loisir, prendre la ligne verte du « T », le métro de Boston, pour aller flâner sur les quais du North End, et s'immerger dans les parfums iodés de l'océan et les cris des mouettes. Hiver comme été.

Il avait rempli leurs verres de chardonnay et pris une lampée.

« Mon diplôme en littérature anglo-saxonne ne m'ouvrit guère de portes, si ce n'est un job dans une agence immobilière de Back Bay. J'étais payé à la commission et il me fallut plusieurs années et pas mal de baratin pour parvenir à économiser suffisamment et postuler à quelques écoles de droit à travers le pays.

— Pourquoi le droit ?

— Pas par passion, ça, c'est sûr, avait-il répondu en ricanant. Il fut un temps où j'avais rêvé d'être romancier. J'écrivais des poèmes, tous passablement maladroits, des histoires courtes pour me faire la main. Mais il me fallait être réaliste et admettre qu'il valait mieux être un écrivain frustré gagnant un salaire d'avocat qu'un auteur à temps plein crevant de faim. »

Accepté à Tulane Law School, il quitta les frimas de sa Nouvelle-Angleterre natale pour les chaleurs moites de La Nouvelle-Orléans. En faculté, il se prit d'intérêt pour le droit maritime, qui lui permettait d'imaginer les vagues de l'océan même dans le confinement d'une salle de classe. Après avoir obtenu son doctorat avec mention, il fut engagé par un cabinet renommé de San Francisco, où il put non seulement exercer sa spécialité mais aussi entrevoir de la fenêtre de son bureau les eaux miroitantes de la baie.

Célibataire invétéré, il travaillait dur, se faisant remarquer de ses supérieurs pour son assiduité et l'acuité de son raisonnement juridique. Cependant, il ne tenta jamais de développer les connexions professionnelles qui lui auraient permis d'atteindre le statut convoité de «faiseur de pluie» et de devenir associé. Satisfait de suffisamment gagner sa vie, il préférait conserver du temps libre pour le surf, les amis et les relations passagères.

«C'est triste de renoncer à sa passion», avait remarqué Nicole en faisant la moue.

Il l'avait regardée droit dans les yeux.

«Sans doute, mais tu sais aussi bien que moi qu'il est encore plus triste de n'avoir rien à se mettre sous la dent.

— Tu aurais pu retourner dans le Vermont.

— Et m'occuper de l'érablière? Je ne suis pas fait pour la vie d'agriculteur. À la mort de mes parents, le frère de ma mère a repris la ferme. C'est mieux comme ça.»

En fait, il écrivait alors son premier roman, qui en était à sa quatrième version. Mais ça, il ne le lui avouerait que des mois plus tard.

Aux premières lueurs de l'aube, ils s'étaient retrouvés dans son condo de Haight-Ashbury. Cette fois, les mots n'avaient plus été nécessaires. Alors qu'il l'embrassait, il avait été rassuré à l'idée qu'il avait lavé les draps la veille. Ils avaient fait l'amour lentement, savourant chaque instant. Sans être inoubliable ni pour l'un ni pour l'autre, leur étreinte avait été agréable pour tous les deux. Pas un feu d'artifice, mais un feu de camp dont les braises réchauffent longtemps après que les flammes se sont éteintes. Ils s'étaient endormis chacun de leur côté du lit, comme un couple qui a passé le stade des inconfortables enlacements romantiques.

Une semaine plus tard, Nicole avait emménagé chez lui. C'était le 25 août 1990, une date dont il se souviendrait toujours, plus que de celle de leur mariage, cinq ans après, alors que Nicole était enceinte de leur fille, Nora.

2

Assis à la table posée dans un coin de la cuisine, Kevin, vêtu de son vieux pyjama en flanelle, prit un moment pour humer le riche parfum du café posé devant lui – une vieille habitude – avant de porter l'épaisse tasse à ses lèvres et de savourer une première gorgée, puis une deuxième. Comme tous les jours, son réveil était une sourde agonie, un rappel lancinant, dès le fantasme des rêves dissipés, de son échec de la veille et de la faillite de son existence. Malgré cela, il se levait tôt – avant le soleil en ce matin de fin février. Sans but ni raison, par force de l'habitude. Cette même habitude qui l'amenait à préparer un café pour deux. Ce n'est que lorsque l'arôme du breuvage assaillait ses narines qu'il renouait, presque malgré lui, avec un semblant de vie. Cette étincelle de plaisir le comblait et l'irritait à la fois, car fugace elle ne l'abandonnait que trop vite au reste de sa journée.

Sa première tasse finie, Kevin se leva pesamment et se dirigea vers la porte d'entrée. Dehors, une aube grisâtre s'imposait avec peine. Instinctivement, il jugea qu'il devait faire zéro degré, plutôt chaud pour la saison dans cette région proche de la frontière canadienne où les températures hivernales tombaient régulièrement en dessous des moins trente. Cette année-là, un puissant El Niño avait chamboulé le climat, inondant la côte Ouest de pluies diluviennes et refusant au Nord-Est le Noël blanc auquel il était habitué. Au-delà du porche, il n'y avait que de vagues plaques de givre pour agrémenter l'herbe brunâtre du jardin et même les sommets de Camel's Hump et de Mount Mansfield, au loin, n'étaient qu'à peine saupoudrés d'une précaire couche de neige.

«Les propriétaires de station de ski doivent s'arracher les cheveux», grommela-t-il en se baissant pour ramasser l'exemplaire roulé du *New York Times* déposé pendant la nuit par le livreur de journaux.

De retour dans la cuisine, il se versa une seconde tasse de café et, reprenant sa place à table, ouvrit le journal, parcourant les gros titres d'un regard désabusé. Il ne ressentait nullement les effets du vin qu'il avait bu la veille. Voilà plus d'un quart de siècle qu'une bouteille quotidienne, ou plus souvent deux, avait cessé de lui donner la gueule de bois ou la bouche pâteuse.

Alors qu'il tentait sans succès de s'intéresser à la campagne des primaires présidentielles, il se demanda vaguement ce qu'il pourrait bien faire de sa journée – de ces longues heures qui le séparaient de sa prochaine tentative. À moins qu'il ne parvienne à ses fins avant, dans un élan spontané et libératoire. Mais il savait que ça ne serait pas le cas. Inconsciemment, il ne pouvait se résoudre à se tuer à la lumière du jour, alors que les gens étaient au travail et les enfants à l'école. Cela lui semblait indécent, comme si la laideur de son acte avait besoin, à ses yeux, du couvert de la nuit pour se dissimuler. Même s'il n'avait pas mis les pieds dans une église depuis des lustres, en bon catholique irlandais il n'était jamais parvenu à se débarrasser de l'idée, inculquée dès son plus jeune âge, que le suicide était un péché.

Son incapacité à franchir le pas décisif, à presser cette détente qui le narguait, n'était due ni à un manque de courage ni à un restant de goût pour la vie. Lui qui pourtant se préoccupait si peu de son image ne voulait pas que la raison de son acte fût mal interprétée. Car bien moins que le chagrin d'un amour perdu, c'était l'impossibilité de remédier au gâchis du passé qui l'avait poussé à l'amertume et au désespoir.

La sonnerie du téléphone le fit sursauter. À part les instituts de sondages et les éventuels faux numéros, il n'y avait que deux personnes qui l'appelaient encore sur son portable : Nora, avec laquelle il avait parlé la veille, et Fran, qui était partie à Echo Lake pour une semaine de pêche sur glace et ne serait de retour que le surlendemain.

Avec un soupir, il se résolut à se lever de nouveau et saisit l'appareil sur le comptoir de la cuisine. Il reconnut immédiatement le numéro qui s'affichait sur le petit écran. *Que diable me veut-elle ?*

« Louise, dit-il d'une voix vaguement bourrue, comment vas-tu ? Et que me vaut le plaisir de ton appel ? » Il n'avait jamais été proche de sa belle-mère, qui n'avait pas vu d'un bon œil son mariage avec Nicole ni caché son mépris envers ses aspirations littéraires, et tous deux ne s'étaient plus parlé depuis la cérémonie d'obtention du diplôme de Nora à Palo Alto Senior High School, trois ans auparavant.

« C'est affreux, Kevin ! répondit Louise d'une voix entrecoupée de sanglots. Georgia et Brian... ils sont morts. Ils ont été assassinés ! »

Il lui fallut plusieurs secondes pour enregistrer la nouvelle. Fermant les yeux, il se passa lentement la main sur le visage avant de les rouvrir, comme pour s'assurer qu'il était bien éveillé. Après Nicole, Georgia ; la tragédie ne s'arrêterait-elle donc jamais ? Il déglutit, ne trouvant pas ses mots.

Georgia était la deuxième fille de Louise, la seule enfant qu'il lui restait depuis le décès de Nicole, dont elle n'avait aucunement le caractère ou les dispositions. Peu faite pour les études, elle avait quitté, à six mois du diplôme, l'illustre école privée de Phillips Academy à Andover pour tenter une carrière de chanteuse de rock qui n'avait abouti qu'à des séjours répétés en cure de désintoxication à la cocaïne et aux amphétamines. Ayant finalement renoncé à ses rêves et à la drogue, elle avait épousé Brian Gallagher, un brave expert-comptable de Boston rencontré dans un bar. Ils vivaient à Newton, dans le comté de Middlesex, et avaient un enfant, David, de dix ans maintenant. Et bien qu'ils ne se vissent qu'occasionnellement, Kevin avait toujours éprouvé de l'affection pour sa belle-sœur et de la tendresse pour ses rêves déchus. « Qui se ressemble s'assemble », avait un jour railleusement remarqué Nicole.

« Que s'est-il passé ? demanda-t-il finalement, le cœur serré.

— Un cambrioleur a pénétré dans leur maison au milieu de la nuit, continua Louise. La police pense que le couple a dû le surprendre, et que celui-ci a paniqué… et a tiré. Ma pauvre petite Georgia… » Elle éclata de nouveau en sanglots.

Redoutant la réponse, Kevin questionna :

« Et David ?

— Il est vivant, par miracle. Il s'est caché dans la penderie de sa chambre quand il a entendu du bruit et n'en est pas sorti. Les policiers l'ont découvert là, enfoui sous des habits, paralysé par la peur. Ils me l'amènent, ils sont en route. »

PARTIE II

3

Son BlackBerry avait vibré dans sa poche comme un présage dans le silence de la nuit. Nora, qui n'avait alors que six ans, était depuis longtemps couchée dans sa chambre aux murs rose et bleu pastel qu'il avait peints lui-même. Comme chaque soir, ils avaient dîné en tête à tête dans la cuisine odorante des lasagnes qu'il avait préparées en sirotant un verre de Brunello. Nora avait ensuite pris son bain et enfilé son pyjama favori, mauve avec des licornes, et il lui avait lu un livre de Dr Seuss. Avant d'éteindre les lumières, il lui avait également raconté un épisode des aventures de Mina, le dauphin de Malibu, qu'il inventait au fil des jours. Puis il s'était installé sur le grand lit de la suite parentale et avait allumé la télévision, en s'assurant que le volume n'était pas trop élevé.

Avant de répondre, il avait regardé machinalement les aiguilles fluorescentes du réveil. 22 h 15. Nicole devait être sur le chemin du retour après l'une de ses longues journées au bureau. Cela n'avait rien de nouveau. Le lancement de sa société, Nymph Ventures LLC, plus de dix ans auparavant, avait forcé la jeune femme à passer d'innombrables nuits blanches, et son succès fulgurant, qui avait fait d'elle une multimillionnaire sursollicitée, n'avait guère arrangé les choses. Il y avait toujours un nouveau projet à financer, un autre à renflouer et un autre encore à passer par pertes et

29

profits. Récemment, elle trimait d'arrache-pied sur un projet de média social dont le concept même échappait totalement à Kevin. Lui s'occupait de Nora au quotidien. Dès que les affaires avaient démarré, Nicole l'avait en effet encouragé à donner sa démission pour se consacrer à l'écriture. C'était elle qui, malgré son emploi du temps débordé, avait patiemment lu et annoté ses premiers manuscrits et lui avait trouvé un agent, puis un éditeur. Mais le succès n'avait pas été au rendez-vous. Malgré des critiques favorables, il n'avait pas rencontré son public. Travaillant à la maison – une splendide demeure de 8 millions de dollars à Palo Alto que Nicole avait payée rubis sur l'ongle – il avait embrassé le rôle de papa poule, s'y consacrant d'autant plus facilement que sa carrière périclitait.

«Hello, comment s'est passée ta journée?» Il avait parlé à voix basse, pour ne pas réveiller la petite.

«Mr. O'Hagan?»

Le ton à l'autre bout du fil était grave et officiel.

«Oui… c'est moi, avait-il balbutié avec surprise mêlée d'appréhension.

— Sergent Lowell, California Highway Patrol. Vous êtes bien l'époux de Mrs. Nicole Cabot O'Hagan?

— C'est exact. Il lui est arrivé quelque chose?

— Mr. O'Hagan, votre femme a été victime d'un accident sur la Highway 101. Elle a été transportée aux urgences du Stanford Medical Center.

— Mon Dieu, non!» Il avait fait un effort pour ne pas crier. «Quel est son état? Est-ce que c'est grave?»

La voix du policier s'était faite plus chaleureuse. «Elle est dans un état critique. Je ne peux malheureusement pas vous en dire plus. Pouvez-vous vous rendre à l'hôpital au plus vite?»

L'estomac noué, il avait raccroché et s'était élancé dans le couloir. En passant devant la porte entrouverte de la chambre de Nora, il l'avait aperçue paisiblement endormie, ignorant tout du drame. Il avait dévalé les escaliers le plus silencieusement possible et, une fois dans le hall d'entrée, avait composé un numéro sur son portable.

« Allô ? avait répondu une voix ensommeillée après de longues sonneries.

— Jeannie ? C'est Kevin O'Hagan. Je suis navré de t'appeler à une heure pareille, mais Nicole vient d'avoir un accident de voiture et je dois me rendre à l'hôpital d'urgence. Pourrais-tu venir veiller sur Nora ? Je ne veux pas l'emmener là-bas au milieu de la nuit. »

La fille aînée d'un de leurs voisins, Jeannie, qui était en terminale et avait l'ambition de suivre des études de médecine pour devenir pédiatre, avait été la baby-sitter et camarade de jeu de Nora depuis plus de trois ans et faisait presque partie de la famille. « Bien sûr, Mr. O'Hagan. Je serai là dans une minute. »

Il l'avait attendue impatiemment dans le noir. Elle était arrivée en courant, vêtue de son pyjama et d'une veste de sweater.

« Merci de tout cœur, Jeannie, avait-il lancé en se glissant dans sa voiture. Si Nora se réveille, ne lui dis pas un mot de l'accident. Simplement que j'ai dû m'absenter et que je serai très vite de retour. »

Il avait démarré sans attendre la réponse, sachant, au plus profond de lui-même, que sa femme était déjà morte.

4

Les obsèques de Georgia et Brian eurent lieu le premier jour de mars. La petite chapelle en pierre des champs de Saint Anthony's-by-the-Sea à Gloucester, non loin de la demeure de Louise et de son mari, Michael «Mick» Bicknell, était pleine à craquer. Des amis du couple défunt, que Kevin ne connaissait pas.

Malgré son lourd programme de cours à Stanford, Nora avait tenu à venir. Ils se retrouvèrent sur le parvis de l'église alors qu'elle descendait du taxi qui l'avait amenée de l'aéroport. Ils ne s'étaient pas vus depuis plus d'un an et Kevin se sentait nerveux et gauche. Les traits tirés, elle lui fit un petit sourire. Il la prit dans ses bras et déposa un baiser sur ses deux joues, comme il l'avait toujours fait.

«Bonjour, ma chérie, dit-il avec une émotion teintée d'inquiétude. Ça me fait plaisir de te voir… Comment vas-tu?

— Bonjour, papa, répondit-elle en s'échappant doucement de son étreinte. Tout va bien. Un peu fatiguée par le vol. Il y avait un bébé qui hurlait derrière moi et je n'ai pas pu fermer l'œil.

— Tu as eu le temps de prendre un petit déjeuner?»

Elle sourit de nouveau, comme amusée par la vieille sollicitude paternelle.

«J'ai mangé dans l'avion.»

Elle fit un petit signe de la tête en direction de la porte de l'église.

«On y va? Le service devrait bientôt commencer.»

Ils s'assirent à l'écart sur le dernier banc avant la sortie. Kevin se sentait mal à l'aise dans son costume anthracite. La dernière fois qu'il l'avait porté, cela avait été pour la première communion de Nora, et la fois d'avant, pour les funérailles de Nicole. Ombre et lumière, douleur et joie, l'image même de la vie.

Au premier rang, juste devant l'autel, il pouvait apercevoir la silhouette de Louise, frêle dans sa robe noire. À la mort de Nicole, il avait été trop submergé par sa douleur et celle de Nora pour se préoccuper de sa belle-mère. Il ne se souvenait même pas de l'avoir embrassée. Mais maintenant, il ressentait comme une bouffée de fraternité envers elle, celle des gens qui ont connu le deuil le plus abject et qui seuls peuvent mutuellement se comprendre, comme des anciens combattants de l'existence qui ne parviennent à partager le souvenir de leurs blessures qu'avec d'autres mutilés. *Pauvre Louise.* Il éprouvait pleinement toute l'horreur que représentait pour cette vieille femme de perdre ainsi l'une après l'autre ses filles, de se voir arracher à deux reprises la chair de sa chair, et de leur survivre si cruellement.

Il frissonna d'effroi et lança un coup d'œil à la dérobée en direction de Nora, effleurant le bras de la jeune femme sans que celle-ci le remarque. Recueillie, elle semblait sereine. Si la mort violente de sa tante avait ravivé chez elle le tragique souvenir du décès tout aussi subit de sa mère, elle n'en laissait rien paraître.

Le service funèbre terminé, Kevin et Nora furent parmi les premiers dehors.

«Je te conduis à la réception?» proposa-t-il, de nouveau nerveux malgré lui.

Un autre petit sourire.

«D'accord, merci.»

Ils marchèrent côte à côte dans un silence à peine troublé par le crissement du gravier sous leurs pas. Il voulait lui prendre la main, mais n'osa pas.

«Tu n'as pas de sac de voyage? demanda-t-il alors qu'il lui ouvrait la portière de sa Chevy Tahoe.

— Pas besoin, j'ai un vol direct pour San Jose ce soir. J'ai des tests la semaine prochaine que je dois absolument préparer.

— Je comprends.»

Il avait à la fois espéré et redouté qu'elle vienne passer quelques jours dans le Vermont, et il ne savait pas lequel, du soulagement ou de la déception, l'emportait en lui. Unis par la paternité et ensuite par le malheur, ils avaient connu une complicité profonde durant de longues d'années. Puis Nora avait grandi et s'était résolument tournée vers la lumière, tandis que lui était demeuré inextricablement cloîtré dans l'ombre. Quand elle était partie pour l'université et lui pour le Vermont, tous deux avaient compris, sans qu'il fût nécessaire d'en parler, que c'était mieux ainsi.

5

Les invités se retrouvèrent autour d'un énorme buffet préparé dans le salon de la maison de Louise et Mick. Datant du début du XIXᵉ siècle, et du plus pur style Cape Cod avec ses lignes sévères et symétriques, sa façade recouverte de bardeaux en cèdre délavés par les intempéries et son balcon *widow's walk* au sommet du toit, leur résidence exsudait l'austérité puritaine de l'ancienne Massachusetts Bay Colony. Grise et maussade, voûtée par les ans, elle était, aux yeux de Kevin, à l'image du vieux maître des lieux. Seul le parc majestueux qui descendait en pente douce, parmi chênes, pins et érables, jusqu'à la rive rocheuse de l'Atlantique fournissait une touche de gaieté.

Kevin n'y était venu qu'une seule fois auparavant, alors que Nicole et lui n'étaient pas encore mariés. En dépit de son manque d'affection pour son beau-père, la jeune femme avait succombé aux suppliques de sa mère de venir célébrer Thanksgiving en famille. Mais malgré une dinde exquise et des vins délicieux, ainsi que les efforts méritoires de Georgia, Brian et Kevin, l'atmosphère avait été glaciale. Le repas à peine fini, Nicole l'avait pris par le bras et, profitant de ce que sa mère était dans la cuisine, l'avait entraîné vers leur voiture.

«Mais le match n'est pas terminé, avait-il protesté. Les Cowboys mènent 14-13 contre les Dolphins avec une minute à jouer. Les Dolphins ont la balle et vont tenter un *field goal*. Et puis ça n'est pas très poli de s'éclipser ainsi. »

Elle s'était retournée et, l'attirant brusquement à elle avec un sourire enjôleur sur les lèvres, l'avait embrassé avec fougue. « Retournons au motel. Je te promets que je te ferai oublier ton match de football et tes velléités de bienséance. »

Le ciel était bleu, parsemé de quelques nuages blancs paresseux. Bien que bas sur l'horizon, le soleil était parvenu à suffisamment réchauffer l'air pour permettre de laisser les épais manteaux d'hiver dans les voitures alignées en deux files compactes le long de l'allée. À l'intérieur de la maison, l'ambiance s'était elle aussi réchauffée sous l'effet conjugué de la nourriture et de l'alcool, et de ce mélange de *Schadenfreude* et de soulagement si propre aux enterrements.

Kevin n'avait aucun désir de s'éterniser et encore moins de faire la conversation à des étrangers. Quelle que fût la pitié qu'il pût éprouver pour le destin tragique de sa belle-sœur et de son beau-frère, et pour la peine que devait éprouver sa belle-mère, il avait depuis longtemps fait son plein de deuil. Durant quinze longues années, il l'avait laissé devenir son compagnon de chaque instant, au point que son âme, tout entière occupée par sa douleur intime, semblait désormais imperméable à tout nouveau chagrin. Mais il avait faim, et près de quatre heures de route l'attendaient pour rentrer chez lui. Et puis il n'allait tout de même pas abandonner Nora toute seule. Se faisant le plus discret possible, il s'approcha du buffet et, après s'être préparé une copieuse assiette et avoir saisi une Sam Adams dans le bac à glace, s'était assis dans un coin reculé de la grande pièce.

Nora le rejoignit, tenant dans ses mains une assiette de charcuterie et un verre d'eau gazeuse. Tout en mangeant, elle lui parla de ses études, de ses amis et de son boyfriend, le même depuis deux ans. Il l'écouta avec tendresse et fierté et parvint même à la faire rire en lui décrivant ses récentes mésaventures avec un couple de ratons-laveurs qui s'étaient introduits dans sa cave. Leur repas terminé, elle s'excusa et se dirigea vers un groupe de jeunes à peine plus âgés qu'elle, avec lesquels elle engagea rapidement une discussion animée.

Seul devant son assiette vide, Kevin loucha avec envie du côté du bar à liqueurs richement approvisionné. Il était tenté de boire un verre de Connemara Single Malt pour digérer, mais avec regret il chassa l'idée de son esprit. Pas avant de prendre le volant. Il aurait certes volontiers accueilli l'accident de voiture libérateur, mais n'avait aucune intention de risquer d'entraîner des innocents avec lui. Comme cet homme qui, quinze ans plus tôt, avec quatre fois la limite légale d'alcool dans le sang, avait engagé sa voiture à contre-sens sur l'autoroute au moment même où Nicole l'empruntait pour rentrer chez eux.

Plongé dans ses pensées, il sursauta en entendant une voix prononcer son nom.

« Mr. O'Hagan ? »

Il reconnut la jeune femme en robe noire et tablier blanc qui lui avait ouvert la porte et, avec deux autres pareillement vêtues, avait fait circuler des plateaux chargés d'amuse-bouche et de cocktails parmi les invités.

« Mrs. Bicknell souhaite vous parler. »

Il hésita, cherchant désespérément une excuse pour éviter la rencontre.

« Si vous voulez bien me suivre », insista la jeune femme avec un geste de la main.

À contrecœur, Kevin s'extirpa de son fauteuil et la suivit le long d'un corridor jusqu'à la porte du cabinet de travail du vieux Mick.

« Vous pouvez entrer. Mrs. Bicknell vous attend », dit la soubrette avant de retourner en direction du salon.

Prenant une profonde inspiration, il ouvrit la porte et fut accueilli par une bouffée d'air surchauffé sentant le feu de bois et le cigare éteint. À l'autre bout de la pièce aux murs lambrissés, Louise était assise derrière le grand bureau de son mari. Son visage couleur de cendres et les gros cernes noirs autour de ses yeux rougis témoignaient de l'enfer qu'elle vivait. Elle fixait du regard le buvard vert du sous-main où ses doigts rongés d'arthrite étaient posés comme de petits oiseaux de malheur. Dans l'un des fauteuils disposés devant le bureau était assis un homme qu'il ne reconnut pas immédiatement. Sa tête était dans la pénombre, mais par sa taille et son maintien, Kevin sut immédiatement qu'il ne pouvait s'agir de Mick.

Indécis, il se racla la gorge avant de parler.

«Louise, je te prie d'accepter mes plus profondes condoléances.» Il haït ces mots au moment même où il les prononça – pour leur formalisme stérile, et pour ce qu'ils impliquaient sans oser le dire.

La vieille femme leva vers lui un regard sans fond.

«Approche-toi, dit-elle d'une voix sourde en lui tendant les mains depuis son fauteuil. Je suis trop épuisée pour me lever.»

Traversant la pièce à grands pas et contournant le bureau, il se pencha en avant et entoura sa belle-mère de ses bras. Il osa à peine la serrer contre lui, tant il avait peur de la briser, mais elle s'agrippa à ses épaules en une étreinte qui lui coupa presque le souffle.

«Je suis navré de te revoir dans de si tristes circonstances, Kevin», dit l'homme dans le fauteuil.

Son estomac se contracta au son de la voix par trop familière. Aussi délicatement qu'il le put, il se dégagea des bras de sa belle-mère et se tourna vers l'homme. Celui-ci s'était légèrement redressé et les lueurs du feu de cheminée se reflétaient sur ses traits patriciens.

«Trent, tu es bien loin de San Francisco, répondit Kevin froidement. Je ne te savais pas ami de Georgia et Brian.»

L'homme hocha la tête et sourit avec une condescendance à peine voilée. «Bien qu'étant de tout cœur avec Mrs. Bicknell dans ces terribles moments d'adversité, je reconnais que ma présence ici a une connotation professionnelle. Mais assieds-toi donc, Kevin, ajouta-t-il en indiquant des yeux le fauteuil à côté du sien, nous avons à parler.»

6

Il connaissait Trent Havilland depuis plus de trente ans, lorsqu'ils pratiquaient dans le même cabinet d'avocats. De deux ans son cadet, Trent était alors l'étoile montante du département d'affaires. N'hésitant pas à user d'expédients quand l'intérêt de ses clients et surtout les siens étaient en jeu, il était rapidement devenu associé. Collègues mais jamais amis, Kevin avait néanmoins été amené à recommander les services de Trent à Nicole lorsque cette dernière avait décidé de fonder sa société. Mais non sans rechigner.

«Je peux m'occuper moi-même de la création de la compagnie, tu sais, lui avait-il alors rétorqué, vaguement blessé par le fait qu'elle ne le lui ait pas demandé. Ça n'a rien de sorcier.»

Souriante, elle lui avait donné un léger baiser sur le front.

«Comme on dit dans votre profession, "on ne chie pas là où on mange". Il me semble plus sain de ne pas mélanger les affaires à notre relation.

— Ne viens-tu pas d'accepter que je finance le lancement de ta société en hypothéquant mon condo?»

Encore un sourire désarmant. «Par le biais d'un prêt à court terme à 12% au-dessus du taux préférentiel, qui te sera probablement remboursé avant échéance, Darling. Ça n'est pas des affaires, c'est de l'amour.»

Cela aussi l'avait irrité, car il lui avait initialement proposé de s'associer dans son entreprise. «Tu sembles n'avoir aucun problème à partager le capital de ta future société avec Pete et Assan, alors pourquoi en as-tu avec moi ? »

L'espace d'un instant, le visage de la jeune femme s'était durci. « J'ai besoin d'eux pour la phase de développement initiale. Mais si tout se passe comme je l'envisage, je rachèterai leurs parts dans les cinq ans. » Elle avait placé ses bras autour de son cou. « Crois-moi, Kev, il vaut mieux ne pas être en business avec moi. »

Et bien sûr tout s'était déroulé comme elle l'avait prédit.

Tandis qu'Assan développait des algorithmes ultrasophistiqués et que Pete planchait sur les modèles de gestion et les données analytiques, Nicole avait multiplié démarches et contacts, aussi bien dans la finance que dans la haute technologie. Et grâce à son habileté de prédateur à dénicher les projets prometteurs ainsi qu'à son aptitude innée à la collecte de fonds, Nymph Ventures avait rapidement engrangé les succès. Et l'argent avait commencé à couler à flots dans les poches de ses jeunes actionnaires.

Génie de l'informatique et d'une personnalité attachante, Assan avait une faiblesse majeure : l'addiction au jeu. Quant à Pete, il n'avait pu résister à l'attrait du luxe. Mais alors que ses associés gaspillaient leurs revenus, l'un au casino et l'autre dans des voitures de sport, des montres en or et des bijoux pour ses conquêtes de passage, Nicole avait adroitement placé ses fonds et progressivement édifié une structure opérationnelle rendant superflues les contributions des deux hommes. Finalement, après s'être discrètement assuré le soutien financier d'une importante banque privée, elle avait mis en application la clause shotgun d'achat-vente obligatoire que Trent avait, sur son instruction, insérée dans le pacte d'actionnaires de la société. Incapables dans le court délai imparti de réunir les fonds nécessaires à une contre-offre de rachat, Assan et Pete n'avaient eu d'autre choix que de lui vendre leurs parts pour deux tiers de leur valeur réelle. À l'âge de trente ans, elle s'était ainsi retrouvée, selon ses plans, riche, seule à la barre et maîtresse de sa destinée.

Ce qu'elle n'avait pas prévu, c'était de tomber enceinte quelques mois plus tard.

7

Kevin s'installa dans l'épais fauteuil en cuir rouge et croisa les jambes, prenant bien soin de cacher l'inconfort et le dédain que la présence de l'avocat suscitait en lui.

« Si c'est pour me faire une offre d'emploi, j'en suis fort touché, mais je n'ai aucune intention de reprendre du collier », lança-t-il d'un ton faussement badin.

L'esquisse d'un sourire apparut furtivement sur les lèvres de Trent. « Nous avons changé de siècle, et avec lui le métier a changé. Tu ne t'y reconnaîtrais guère. »

Ça ne changerait pas beaucoup de l'ordinaire. Viens-en aux faits.

« Le double décès de Georgia et Brian fut aussi cruel qu'imprévisible, continua Trent. Néanmoins, Nicole, avec une prescience remarquable, en avait envisagé la possibilité, ainsi que les conséquences qu'une telle tragédie pourrait avoir sur leur éventuelle progéniture. Et elle en avait tenu compte dans ses dispositions testamentaires. »

Kevin leva les sourcils, surpris. « Mais Georgia et Brian n'étaient mariés que depuis huit mois à la mort de Nicole, et David est né cinq ans plus tard. Comment aurait-elle pu anticiper des événements si lointains, et encore plus planifier en conséquence ?

— Peu après son mariage, Georgia tomba enceinte, dit Louise d'une voix triste mais étrangement ferme. Elle s'en ouvrit à sa sœur avant même de me l'annoncer.

— Comment se fait-il qu'elle ne m'en ait jamais parlé?»
demanda Kevin.

Trent lui lança un regard empli de fausse pitié.

«La grossesse n'a pas abouti. Elle s'est terminée par une
fausse couche à la fin du quatrième mois. Entretemps, Nicole
vint me voir et me fit ajouter un codicille au règlement du
trust testamentaire que j'avais rédigé pour son compte suite
à la naissance de votre fille Nora. Selon celui-ci, en cas de
décès prématuré de sa sœur et de son beau-frère, ou de leur
incapacité physique, mentale ou légale à exercer leurs devoirs
parentaux, les enfants de ceux-ci devraient être pris en charge
par le trust jusqu'à la conclusion de leurs études universitaires.

— Comme tu le sais, Kevin, ajouta Louise, Nicole n'avait
guère foi en l'aptitude de sa sœur à mener une vie d'adulte.
Elle craignait qu'elle ne retombe dans les stupéfiants et ne
fasse une overdose. Quant à Brian, elle ne le connaissait pas
assez pour lui accorder confiance.» Elle ravala un sanglot
avant de continuer. «Le fait est que Georgia avait résolument
tourné la page sur son passé dissolu. Brian et elle étaient
déterminés à fonder une famille. Après plusieurs tentatives
dans les années qui suivirent sa fausse couche, je lui conseillai
d'aller voir un ami gynécologue spécialiste en problèmes
de fertilité. Celui-ci lui prescrivit une thérapie hormonale.
David en est le fruit.»

Kevin s'ébroua d'impatience comme un vieux cheval agacé
par un taon. Pourquoi Trent et Louise lui racontaient-ils
tout cela maintenant? Pour le malin plaisir de lui faire
découvrir des faits que sa femme n'avait pas jugé bon de
partager avec lui? Trent peut-être, mais pas Louise. Elle
pouvait être mesquine, mais pas gratuitement malveillante,
et surtout pas en ces circonstances. Il jeta un coup d'œil à sa
montre. 15 heures. Même en partant immédiatement, il
allait devoir faire la moitié du trajet dans l'obscurité. Et il
détestait conduire la nuit.

«Brian Gallagher était fils unique, reprit Trent, et ses parents ne sont plus vivants. À part Louise et son mari, le jeune David n'a que Nora et toi comme famille. Louise, vous ne m'en voudrez pas si je mentionne que vous et Michael avez passé quatre-vingts ans?» La vieille femme hocha la tête, son regard toujours posé sur Kevin. «De plus, Kevin, tu dois savoir que ta belle-mère souffre d'emphysème et son mari de problèmes hépatiques et cardiaques. Ni l'un ni l'autre n'est à même de prendre soin d'un garçon de dix ans. Nora quant à elle est encore à l'université. Mais toi, mon vieux, tu es… disponible. Nous te proposons donc de réinstaurer ton ancienne rémunération, ajustée bien entendu sur le coût de la vie, et de couvrir tous les frais afférents à l'éducation de David et à son quotidien, selon les conditions en vigueur lorsque ta fille était mineure. Dans un premier temps, nous recommandons qu'il vienne vivre dans ta maison du Vermont, car retourner habiter sur les lieux du drame est hors de question. Dès que possible, nous mettrons la maison de Garland Road, à Newton, en vente pour le compte de David. Cela vous permettra à tous deux, si vous le désirez, de déménager vers des cieux plus cléments ou plus propices à sa scolarité.»

8

À la mort de Nicole était revenue à Kevin la tâche d'élever seul Nora. De lui expliquer encore et encore, souvent au milieu de la nuit après une crise de pleurs ou un cauchemar, pourquoi maman n'était plus là. De voir le reflet de cette femme qu'il avait tant aimée s'épanouir sous les traits de cette enfant à qui il lui fallait, malgré son propre désespoir, réapprendre la joie de vivre. Tant bien que mal.

Financièrement, il n'aurait rien pu faire sans l'héritage de son épouse. La publication de ses livres avait à peine couvert les maigres avances de son éditeur et il avait perdu l'essentiel du produit de la vente de son condo, une fois son prêt à Nymph Ventures remboursé, dans de mauvais investissements boursiers. Le testament de Nicole plaçait tous ses avoirs – la maison de Palo Alto, l'assurance vie de 10 millions de dollars, et surtout la fortune issue de la réalisation des titres de Nymph Ventures – en trust au bénéfice de Nora, agrémenté d'un revenu annuel confortable pour Kevin. Confortable mais pas extravagant; un salaire de père de famille, sans plus. Trent et deux de ses associés avaient été chargés de gérer le trust et de s'assurer que Kevin agisse au mieux des intérêts de l'enfant. Toute vente ou dépense au-delà de 2 500 dollars devait être soumise à leur accord préalable.

Et pendant douze ans, Kevin, son cinquième manuscrit resté inachevé, avait rempli son devoir, aimé sa fille avec

L'enfant de Garland Road

toute la tendresse qui lui restait dans le cœur, était devenu son ange gardien, son confident et parfois même son ami. Parvenant au-delà de toute espérance à lui faire oublier le déchirement de grandir sans maman. Alors que lui ne pouvait se remettre de la disparition de Nicole, cette femme dotée d'une force de caractère hors du commun qui lui avait offert son amour et la chance d'une carrière littéraire, mais en était venue à mépriser ses faiblesses, haïr son manque de réussite et ne plus le respecter, et qu'il adorait et redoutait, comme un toxicomane aime sa drogue ou un chien battu son maître.

Quand avait commencé le déclin de leur complicité ? Il n'en était pas sûr. Probablement parce qu'à ses yeux Nicole était longtemps demeurée la jeune femme douce et passionnée qu'il avait enlacée au petit matin de leur première nuit ensemble. Et aussi parce que, immergé dans son nouveau rôle de père, il n'avait pas su percevoir les signes avant-coureurs de sa perte de foi en lui. Mais avec le passage du temps, il en était venu à envisager une troisième raison : Nicole ne pouvait pas accepter l'échec, professionnel comme personnel. Le premier aurait été une insulte à son intelligence, le second, encore pire, à son jugement. Si, dans son for intérieur, elle lui reprochait de l'avoir trompée sur la marchandise, de ne pas être l'homme et l'artiste qu'elle avait imaginés, et de lui avoir ainsi volé son cœur en usant d'artifice, elle ne l'avait jamais fait ouvertement. Cela aurait été reconnaître explicitement sa propre erreur. Mais les indices s'étaient accumulés : les sautes d'humeur, les équivoques, les silences, toujours plus nombreux. Elle avait besoin d'admirer, et il n'avait rien d'admirable. Quant à lui, tel un addict qui s'acharne sans succès à recréer l'euphorie de la première défonce, il avait tenté en vain de retrouver la simple tendresse de leur première rencontre et le regard de celle qui lui avait avoué alors, dans un élan d'espoir plus que de sincérité, que tout ce qu'elle voulait dans la vie était d'être heureuse.

52

Un soir, Nicole était rentrée chez eux alors que Nora, qui avait en ce temps-là deux ans et demi, venait de terminer son repas. Pénétrant dans la vaste cuisine, elle avait trouvé Kevin à quatre pattes en train d'essuyer les déchets de nourriture que la petite avait fait pleuvoir sur le sol. Levant la tête, il avait été plus surpris que peiné par ce qu'il avait lu, l'espace d'un instant, dans les yeux de sa femme. Un mélange de tristesse, de pitié et de mépris. Les lèvres pincées, elle avait secoué la tête, comme pour chasser une mouche. Puis Nora l'avait aperçue. « Maman ! » avait-elle crié en lui tendant les bras depuis sa chaise haute, et Nicole avait souri et était venue l'embrasser, ses élégants escarpins s'arrêtant à quelques centimètres du visage de son mari. À ce jour, il ne pouvait dire si ce qui semblait lui avoir tant déplu était la position peu reluisante dans laquelle elle l'avait surpris ou le fait qu'il perde son temps à accomplir les tâches dont la gouvernante aurait pu s'acquitter.

Quoi qu'il en fût, la lecture de son testament lui confirma le peu de confiance que Nicole lui accordait en matière financière. Il lui était déjà difficile en soi de recevoir chaque mois son salaire, comme un employé, mais ça n'était rien en comparaison de l'humiliation que lui causait l'obligation de soumettre les dépenses dépassant la quotité fixée à l'appro-bation de Trent. Celui-ci prenait d'ailleurs un malin plaisir à rechigner et demander des pièces justificatives. Au point que Kevin avait tenté de reprendre son métier d'avocat et avait même engagé un chasseur de têtes pour l'aider dans sa quête. Mais plus de huit ans après avoir raccroché son tablier, et la cinquantaine approchant, les rares offres d'em-ploi qu'il avait reçues étaient à des salaires dérisoires et ne lui auraient laissé que peu de temps libre pour sa fille, qui, déjà privée de sa mère, avait tant besoin de sa présence. Il avait donc ravalé sa fierté et assumé sa situation de veuf entretenu, malgré les regards, sourires et commentaires à mi-voix qu'il devinait parfois parmi les autres parents d'élèves.

Ce qui lui avait fait tenir bon, ç'avait été Nora, ce petit bout de fille qui grandissait à vue d'œil et parvenait, d'un sourire ou d'un gloussement, à écarter les rideaux noirs qui assombrissaient ses pensées. À ses dix-huit ans, selon le règlement du trust, elle s'était retrouvée seule à la tête d'une fortune gérée par les avocats. Quant à Kevin, son métier de père officiellement terminé, il avait reçu une prime de licenciement : 1,7 million de dollars, pour solde de tout compte. Un chiffre basé sur une espérance de vie moyenne de 78,8 ans qui, s'il ne commettait pas de bêtises, était censé être plus que suffisant.

« Nicole voulait éviter que ta fille ne se sente obligée de subvenir à tes besoins », avait froidement déclaré Trent, en lui remettant son chèque.

Nora, indépendante, équilibrée et aussi brillante que sa mère, était entrée à Stanford pour entreprendre des études en aéronautique et astronautique. Kevin était retourné dans sa Nouvelle-Angleterre natale, avec l'espoir sinon d'oublier, du moins d'apprivoiser son chagrin. Et d'endurer le vide que la mort de Nicole avait créé ; de surmonter son sentiment d'impuissance causée par son incapacité à lui prouver qu'il n'était pas un loser et qu'elle n'avait pas eu tort de l'aimer ; et surtout de cesser de chercher à répondre à la question qui accompagnait chacun de ses actes : « Qu'en penserait Nicole ? »

9

«Eh bien, Kevin, que dis-tu de notre offre?» La voix de Trent le ramena brutalement au présent.

Les yeux dans le lointain, Kevin ne répondit pas.

«C'est un garçon intelligent et précoce, plaida Louise. Il dévore tous les livres qui lui tombent sous la main et a une insatiable curiosité. Il est également doux et sensible, et a plus que jamais besoin d'affection et d'une présence paternelle. Les premiers jours qu'il était ici, il n'a pratiquement pas arrêté de pleurer, refusant toute nourriture, ne s'endormant qu'à bout de forces et de larmes pour être réveillé par d'horribles cauchemars. J'ai bien cru qu'il allait perdre la raison, le pauvre trésor. Ça va un peu mieux, maintenant. Il s'est calmé, Dieu merci, mange normalement et semble s'être résigné à la triste réalité. Mais il faut l'aider, il est si vulnérable. Tu es le seul à pouvoir le faire. Dis oui, Kevin, je t'en prie!»

Tout en Kevin lui criait de refuser. Il voulait se lever d'un bond et courir à sa voiture sans se retourner. Retrouver le Vermont et l'indifférence des forêts. N'avait-il pas mérité qu'on l'abandonne à sa souffrance, qu'on lui permette de se foutre en l'air comme bon lui semblait? Il avait rempli son rôle et élevé Nora, lui insufflant tout l'amour que Nicole avait laissé disponible dans son cœur. Il avait accompli cette mission, au-delà probablement des attentes de sa femme.

Nora était devenue une jeune femme épanouie. Son travail était fait. N'était-il donc pas injuste de lui demander, à lui, de tout recommencer ? De rallonger sa peine de huit longues années ou plus ? Et comment pourrait-il redonner le goût au bonheur à cet enfant meurtri alors que lui-même traînait plus que jamais le boulet de sa propre agonie ?

Sans un mot, il se leva et se dirigea vers l'une des fenêtres. Dehors, l'ombre des arbres avait commencé à se rallonger et une brise de mer s'était levée. À quelques pas de la maison, il aperçut David, assis seul sur un banc, pâle dans son costume sombre, une assiette au contenu intact sur les genoux. Kevin se souvenait vaguement que les grands-parents de Brian avaient, comme son grand-père, immigré d'Irlande – de Galway, à soixante miles à peine de son Limerick ancestral –, et David, avec ses cheveux auburn, ses yeux vert bouteille et son visage parsemé de taches de rousseur, en était le témoignage vivant.

Pauvre gosse. Orphelin, si jeune.

Nora, au moins, avait eu son père pour la consoler, la protéger, la guider. Mais lui, quelle chance lui restait-il ? Qui l'aiderait à affronter ses démons ?

De longues minutes s'écoulèrent. Louise regardait anxieusement le dos de son gendre, comme si elle essayait de deviner ses pensées. Trent, impassible, tapotait légèrement des doigts le bras de son fauteuil.

Finalement, Kevin laissa échapper un long soupir. «OK, dit-il sans se retourner, je le ferai.»

Par ces simples mots, il reprit son métier de père.

PARTIE III

10

«Certains d'entre nous doivent travailler!»
La remarque ne lui avait pas été adressée. Il n'était même pas présent dans la pièce lorsque Nicole avait parlé, mais il avait surpris par hasard les bribes de conversation en passant devant la porte entrouverte de la chambre de Nora. La petite avait à peine cinq ans et, ce matin-là, refusait obstinément de s'habiller pour aller à l'école.

«J'irai que si c'est toi qui m'accompagnes, maman!» s'était-elle exclamée, les poings sur les hanches, la mine boudeuse.

Nicole, accroupie devant elle en tailleur-pantalon et salomés à talons hauts, avait nerveusement regardé sa montre. Elle était déjà en retard pour sa première réunion. «Demain, je te le promets, ma chérie, avait-elle plaidé en embrassant l'enfant sur la joue.

— Tu dis tous les jours la même chose, et c'est toujours papa qui m'emmène», avait protesté Nora, tandis que sa mère se relevait et gagnait la porte. C'est alors qu'elle avait prononcé ces mots sur un ton amer, plus pour elle que pour sa fille, avant d'ajouter de façon faussement enjouée: «Demain, c'est promis. Je t'aime, ma chérie. Amuse-toi bien.»

Dans le couloir, elle avait été tellement pressée qu'elle avait à peine remarqué Kevin. «Bonne journée, lui avait-il lancé au passage avant de s'engouffrer dans la chambre de la petite. C'est le moment de se préparer, Nono! Il ne faut pas être en retard.»

Ce n'est que plus tard dans la journée qu'il s'était souvenu des paroles de sa femme, les avait ressassées et en avait perçu la portée. L'implication était claire : Nicole faisait partie de la classe productrice, lui n'était qu'un dilettante. Et il ne lui avait pas fallu longtemps pour conclure ce qu'intuitivement il savait déjà : qu'il n'aurait jamais dû accepter la perche que Nicole lui avait tendue et abandonner sa pratique du droit. Ce n'était pas qu'elle avait manqué de sincérité lorsqu'elle l'avait encouragé à poursuivre son rêve d'écriture. C'était bien pire. Elle l'avait réellement cru capable de réussir dans cette voie. Mais elle avait misé sur le mauvais cheval. Convaincue par les aléas de la vie que « l'on est ce que l'on fait » et que « l'argent parle, les accolades sont pour les perdants », l'échec représentait pour elle une négation existentielle. Handicapé par son manque de réussite, son mari n'en était-il pas devenu à ses yeux un sous-homme, peu digne d'admiration, voire d'amour ? Et le fait même que cet échec, allié à son succès à elle, eût permis à Kevin de remplir si attentivement son rôle de père, tandis qu'à cause de sa propre réussite profes-sionnelle elle n'était qu'une mère à temps partiel, ne venait-il pas renforcer son dédain à l'égard de son mari ? Peut-être ne s'était-elle jamais autorisée à l'admettre. Ça n'était pas nécessaire. Le poison avait été injecté dans leur relation et s'y était répandu inexorablement, jusqu'à ce que celle-ci s'étiole et périsse, bien avant que Nicole décède.

11

Les collines boisées du New Hampshire déroulaient sous un ciel plombé leurs branches dénudées de feuillage. L'hiver avait décidé de se réveiller avec vengeance ce jour-là et la température avoisinait moins quinze degrés, sans compter l'effet du vent qui lui aussi était de la partie.

Il avait encore fallu une bonne heure de discussion la veille pour passer en revue les détails de la prise en charge de David par son oncle et signer les documents que Trent avait préalablement préparés. Pendant tout ce temps, Kevin avait été partagé entre le désir d'être avec sa fille et la crainte de ne pas savoir quoi lui dire. Puis, d'un commun accord, ils avaient décidé qu'oncle et neveu dormiraient chez Louise avant de prendre la route pour le Vermont. Outre le peu de goût de Kevin pour la conduite nocturne, tous convinrent qu'il serait plus propice pour l'enfant de découvrir sa nouvelle demeure à la lumière du jour.

À son grand soulagement, Nora avait accueilli la nouvelle de l'adoption temporaire de David par son père avec une surprenante bonne humeur.

« Il te tiendra compagnie, lui avait-elle dit en le regardant droit dans les yeux pour la première fois de la journée. Et puis ça vous fera du bien à tous les deux. David a besoin d'attention et toi de te changer les idées. »

Kevin avait insisté pour raccompagner Nora à l'aéroport, mais celle-ci avait, gentiment mais fermement, refusé.

« On se voit cet été pour les vacances ? avait-il demandé alors qu'elle montait dans son taxi.

— Peut-être, on verra. Je suis censée faire des stages, ça fait partie de mon programme à la faculté. Prends soin de toi et de mon cousin. »

Elle lui avait soufflé un baiser avant de refermer la portière et, l'esprit brouillé, il avait suivi du regard le taxi qui s'éloignait le long de l'allée.

Après un petit déjeuner d'œufs au plat, bacon et *hash brown* que Kevin et même David avaient dévorés avec appétit, ils s'étaient embarqués dans la Chevy vers le milieu de la matinée. Et pendant la première heure du trajet, les yeux tournés vers le morne paysage, David n'avait pas dit un mot.

« Tu as bien dormi ? » interrogea enfin Kevin, histoire de rompre le silence alors qu'ils passaient Hooksett.

L'enfant se tourna vers lui et lui sourit, comme reconnaissant pour la distraction. « Ça va, pas trop mal. Mais j'ai fait un cauchemar », ajouta-t-il d'une voix neutre.

Cela, Kevin le savait, il l'avait entendu crier à l'autre bout du couloir.

« J'en ai souvent, depuis… » Il secoua la tête pour chasser la tristesse qui venait d'apparaître sur son visage. « Mamie est venue me consoler. Elle est gentille, mais elle a mauvaise haleine. »

À ces mots, tous deux pouffèrent de rire.

« Tu n'as pas tort, reconnut Kevin, mais ne le lui dis pas. Elle se vexerait. »

Un autre moment de silence, plus court cette fois.

« C'est beau, commenta David en pointant du doigt le paysage hivernal recouvert d'une mince couche de neige, d'où émergeaient, çà et là, d'abruptes falaises de granit.

— C'est encore plus beau en été. Une vraie forêt vierge. Et lorsque les feuilles changent de couleur en automne, c'est une pure merveille.

— Moi, j'aime toutes les saisons et tous les temps, dit le garçon, l'air sérieux. Quand on allait en vacances au bord de la mer, j'allais me promener sur la plage tous les jours, même quand il pleuvait ou qu'il y avait du vent. J'aime le vent sur mon visage, pas toi ? »

Pendant un bref instant, Kevin se sentit sourire de l'intérieur, au souvenir de ses propres escapades sur les rivages de l'océan. Il fut surpris, et aussi un peu irrité de voir le voile de son spleen ainsi se lever, même de façon éphémère.

« Oui, moi aussi. »

Ils s'arrêtèrent à une station-service pour faire le plein et manger un sandwich. Lorsqu'ils retournèrent à la voiture, le vent était tombé et il s'était mis à neiger.

« Les skieurs vont être contents, remarqua Kevin en attachant sa ceinture. Tu skies, toi, David ? »

Le garçon haussa les épaules avec modestie. « Je me débrouille. Chaque année, on passait les vacances de Noël à Loon Mountain, dans le chalet de mamie. Comme maman n'aimait pas la neige, j'allais skier avec papa. »

À ce souvenir, son visage s'assombrit de nouveau et ses lèvres se mirent à trembloter. Mais il ne pleura pas.

Kevin lui ébouriffa gentiment les cheveux. « J'ai un ami qui travaille pour la station de Stowe. Il nous fera des rabais sur les abonnements. Nous pourrons y aller durant les weekends, si tu le désires. Mais à la condition que tu ne m'emmènes pas sur les pistes noires.

— D'accord. »

Un nouveau silence s'installa, durant lequel David observa son oncle du coin de l'œil. Avec son visage buriné par le temps et le chagrin, et sa crinière envahie de cheveux gris, l'homme lui paraissait âgé. Pas aussi vieux que sa grand-mère, sans doute, et beaucoup plus vigoureux. Mais usé tout de même.

« Ça t'embête pas de devoir t'occuper de moi ? »

La question, posée sur un ton prosaïque, prit Kevin au dépourvu. Ce pouvait-il que ce petit bonhomme ait lu dans ses pensées ? Louise lui aurait-elle mentionné son hésitation à jouer le rôle de parent adoptif ?

David dut percevoir son malaise car il s'empressa d'ajouter : «Je voudrais pas être un boulet.

— Rassure-toi, répondit Kevin avec un sourire, ma vie n'est pas très encombrée ces temps-ci. Le Vermont, ça n'est pas exactement Las Vegas. Mes amis se comptent à peine sur les doigts d'une main et ne sont guère exigeants de mon temps. Tu ne t'imposes donc pas du tout. En revanche, c'est toi qui risques de t'ennuyer un peu au début en compagnie d'un vieux bougre comme moi.»

Quittant un instant la route des yeux, il s'aperçut avec un pincement au cœur que de grosses larmes coulaient sur le visage de son neveu. Il fit semblant de n'avoir rien vu.

«C'est moi qui te suis reconnaissant, mon grand, de venir me tenir compagnie. Et puis tu es de la famille, et pour moi, la famille, c'est sacré.

— Même en ce qui concerne Mick ? demanda David en essuyant discrètement ses larmes sur sa manche.

— Là, tu pousses un peu », grogna Kevin avant que tous deux éclatent de rire.

12

Il n'était pas encore 14 heures quand ils s'engagèrent dans l'allée conduisant à la maison de Kevin. Ancienne grange convertie, elle avait gardé de ses origines l'aspect trapu, le toit en ardoises et la couleur ocre rouge de sa façade aux fenêtres, lucarnes et portes encadrées de blanc.

«Tu as un étang! lança David alors qu'ils déchargeaient la voiture, faisant un geste en direction du vaste terrain, bordé d'un petit bois, qui s'étendait derrière la maison jusqu'à une clôture et un pré où quelques chevaux dévoraient une balle de foin posée sur le sol gelé. Il doit y avoir plein de grenouilles et de salamandres, non?

— Et des carpes, et même quelques castors qui me font la vie dure à ronger mes arbres, répondit Kevin en saisissant les valises de David et se dirigeant vers la porte d'entrée.

— Et les chevaux, ils sont aussi à toi?» continua l'enfant d'une voix excitée.

Kevin sourit. «Non, ils appartiennent au voisin, un fermier qui fait également un peu d'élevage. Tu sais monter?

— Moyen, mais j'aime ça.

— Alors on lui demandera s'il veut bien te laisser faire des promenades avec l'un de ses canassons.»

Kevin tourna la clé dans la serrure et tira la porte à lui. «Entre, on va allumer un petit feu pour se réchauffer.»

À l'intérieur, la maison lui parut soudain exiguë, avec son vestibule étroit donnant sur le living-room encombré de livres – les compagnons de ses journées solitaires. Il alluma les lumières et ajusta le thermostat, qu'il avait baissé avant son départ.

«Tu m'excuseras pour le désordre, je ne reçois pas beaucoup de visiteurs. Mais je promets d'arranger ça. Je vais aussi appeler la femme de ménage pour qu'elle vienne tout astiquer.» Devant l'expression indéchiffrable de David, Kevin s'empressa d'ajouter sur un ton qui se voulait gaillard: «La maison n'est pas immense, mais elle est confortable, tu verras.»

Le garçon lui sourit timidement. «Ça ira très bien, oncle Kevin.»

Il lui retourna son sourire. «Suis-moi à l'étage. Nous allons mettre tes affaires dans ta chambre.»

Après avoir grimpé les escaliers, ils se retrouvèrent dans un couloir donnant sur trois chambres: à gauche, la chambre parentale avec sa salle de bains attenante qu'occupait Kevin, et à droite, deux chambres partageant une salle de bains mitoyenne. C'est vers la première de celles-ci que Kevin se dirigea. De bonne taille, elle était, comme le reste de l'étage, peinte d'une couleur saumon clair qui amplifiait la lumière provenant des deux fenêtres à guillotine. Devant l'une d'elles se trouvait une table de travail surmontée d'un ordinateur.

«Voilà ta chambre, annonça Kevin en déposant les deux valises sur le lit queen size recouvert d'un épais duvet bleu. C'est la plus grande des deux, et elle est juste à côté de la mienne. Comme ça, si tu as besoin de quoi que ce soit durant la nuit, tu n'auras qu'à appeler.» Il lança un regard inquisiteur au garçon. «Elle te plaît?»

David hocha la tête. «Elle est très jolie, mais…» Il indiqua du regard deux photos encadrées posées sur la grande commode en érable blond assorti au reste du mobilier. «C'est pas la chambre de cousine Nora?

— Oui… enfin pas vraiment. Elle n'est venue ici qu'une fois, pour m'aider à emménager. Nora est une Californienne pure et dure. Elle n'aime guère la Nouvelle-Angleterre et trouve le Vermont trop glacial en hiver et trop étouffant en été.»

Et son père bien trop déprimant pour passer plus que quelques heures par an en sa compagnie, s'abstint-il d'ajouter en pensant à leur rencontre de la veille. Il ne lui en voulait pas, savait bien que ça n'était pas par manque d'amour. Nora avait suffisamment souffert de la disparition de sa mère à un âge où son plus grand drame aurait dû se limiter à un camarade qui lui tire la langue à la récréation. Elle s'était battue contre le chagrin, avait fait son deuil et rejeté le désespoir auquel son père s'était, lui, abandonné. Elle avait sa vie devant elle et rien à prouver à sa mère. Lui n'avait que le passé, et d'interminables comptes qu'il se sentait encore et toujours obligé de rendre à un fantôme.

«Dans ce cas, ça va», dit David.

Il alla coller son nez à l'une des fenêtres. «On voit les montagnes! Tu m'y emmèneras, oncle Kevin?

— Promis. Mais pour l'instant, je vais t'aider à t'installer.»

13

Une bouteille de vin blanc et un verre à la main, il passa devant le buffet du salon, s'arrêta, hésita, puis, avec un léger soupir résigné, ouvrit le tiroir d'où il retira soigneusement le pistolet. Il posa verre et bouteille sur la table basse et, marchant sans bruit, se dirigea vers son bureau. D'un des tiroirs de la lourde table en chêne massif, il retira un petit coffre-fort et composa le code sur le clavier numérique. Il regarda d'un œil mélancolique le maigre contenu : son passeport et celui de sa femme, la bague de fiançailles qu'il lui avait jadis offerte, à genoux dans le sable de Seabright Beach, devant un glorieux coucher de soleil, le certificat de naissance de Nora ainsi qu'une enveloppe contenant sa première boucle de cheveux et sa minuscule gourmette de baptême en or. Avec un autre soupir, plus pesant, il plaça soigneusement le Colt parmi les autres objets, referma le coffre et le remit dans le tiroir.

De retour dans le salon, il se cala dans son vieux sofa en cuir et se versa une large rasade de vin qu'il entreprit de siroter, les yeux perdus dans la pénombre. Il pensa ouvrir un livre, mais ne s'en sentit pas la force. Il en avait entamé tant et terminé si peu. Principalement des biographies ou des récits historiques, car il ne supportait plus de lire des romans. Un peu par jalousie vis-à-vis de leurs auteurs, publiés et souvent honorés et célèbres, mais surtout par manque d'intérêt pour les tribulations et émotions de leurs personnages. Il était devenu incapable de voir au-delà de sa propre souffrance. Ce qui non seulement l'empêchait de jouir des petits plaisirs de la vie courante mais le privait d'un des grands réconforts de l'âge : les souvenirs heureux. Ça n'était qu'avec effort qu'il parvenait à se remémorer les premiers pas de sa fille, ses premiers mots, leurs jeux dans le jardin ou leurs promenades au bord de l'océan. Et à peine y réussissait-il que, comme un nuage de pluie, l'image de sa femme venait assombrir l'horizon de sa mémoire. Quant à sa propre enfance, ces moments succulents faits d'aubes radieuses, des parfums de rosée matinale et d'herbe fraîchement coupée, d'amitiés simples et de premiers baisers, voilà une éternité qu'il n'avait plus été à même de la visiter. Seuls restaient les regrets d'une vie à ses yeux gâchée.

Et David, pensa-t-il. Il avait, comme Nora, la vie devant lui. Mais saurait-il, si jeune, surmonter sa tragédie et se créer un avenir, ou demeurerait-il marqué par elle comme au fer rouge jusqu'à la fin de ses jours ? Tout comme sa cousine, il était intelligent et sensible, ouvert et réfléchi. Mais avait-il sa force de caractère, l'allant et la soif de découverte qui lui avaient permis de surmonter son chagrin et de faire la paix avec son passé ? Et saurait-il, lui, Kevin, l'épauler dans cette tâche alors que son âme usée s'était depuis longtemps laissée aller à la dérive du temps et de la tristesse ? L'intuition d'une réponse le fit boire plus vite qu'à l'accoutumée.

Il avait fini la bouteille et songeait à en ouvrir une seconde lorsqu'un cri perçant de bête aux abois déchira le silence, une plainte lugubre qui lui glaça le sang et le fit sauter sur ses pieds. Gravissant les escaliers quatre à quatre, il se précipita dans la chambre de David. La faible lueur de la veilleuse projetait la silhouette désarticulée de l'enfant sur le mur et le plafond. Assis tout droit dans son lit, il se couvrait le visage de ses mains, comme pour se protéger d'une menace que lui seul pouvait voir.

«Non! Non! Je vous en supplie, hurlait-il d'une voix terrifiée. Je vous en supplie, laissez-moi!»

«Là, là, mon David, calme-toi, dit Kevin en s'asseyant à côté de son neveu. C'est moi, c'est oncle Kevin. Tu as fait un cauchemar, mais c'est fini maintenant. Tout va bien, tu n'as rien à craindre.»

L'enfant baissa lentement les bras et le regarda avec de grands yeux débordant de larmes et d'effroi. Il tremblait et sa poitrine se soulevait en un rythme saccadé. Tout doucement, Kevin le prit dans ses bras et David enfonça sa tête dans sa poitrine. Il pleurait encore, mais moins violemment, et Kevin se mit à le bercer, comme il l'avait fait tant de fois avec Nora, caressant ses cheveux et murmurant: «Tout va bien, mon grand, c'est fini.»

Quand il se fut calmé, Kevin prit le verre d'eau sur la table de nuit et lui donna à boire.

«Veux-tu me raconter ton rêve? Ça aide parfois d'en parler.»

David eut un frisson et secoua la tête. «Non, pas maintenant.

— As-tu besoin de faire pipi?

— Oui, mais...»

Kevin sourit. «Je t'accompagne.»

Il l'escorta jusqu'à la salle de bains et se tourna pour préserver son intimité. Puis il l'aida à se remettre au lit.

«Ça va mieux?

— Un peu, oui. Mais ne pars pas, dit l'enfant en l'agrippant par la manche. Reste un peu, tu veux bien?»

Kevin se cala confortablement contre le dossier du lit et allongea ses jambes sur le duvet moelleux.

«Oncle Kevin? dit David d'une voix remplie d'anxiété. Il hésita un moment, comme en proie à un intense débat intérieur, avant de se jeter à l'eau.

«Tu crois que c'est ma faute?»

Kevin le regarda, interloqué. « Qu'est-ce qui serait ta faute, mon grand ?

— Qu'ils soient morts ! Que mes parents aient été tués ! »

Sa phrase se termina en sanglots.

Le cœur du vieil homme se serra. « Mais bien sûr que non ! Tu n'y es pour rien, voyons, dit-il sur un ton rassurant. Il n'y avait rien que tu puisses faire. La personne qui a… attaqué tes parents est un criminel ; c'est lui le responsable. La police est à ses trousses et je suis confiant qu'ils lui mettront la main dessus. Il sera jugé et condamné pour ce qu'il a fait, crois-moi. »

David leva les yeux vers les siens. Il y vit le doute et l'effroi.

« Tu es sûr ?

— Absolument », dit-il en l'embrassant sur le front. Il regarda sa montre et ajouta : « Il est tard. Il faut essayer de dormir.

— J'aimerais bien, mais j'ai pas vraiment sommeil. »

Il eut un nouveau frisson.

« Voudrais-tu que je te raconte une histoire ? » demanda Kevin, par habitude ou par instinct.

David hocha approbativement la tête.

« À Malibu, à l'extrémité nord de la baie de Santa Monica, en Californie, se trouve un promontoire qui s'allonge comme un doigt dans l'océan et se termine par une falaise rocheuse escarpée. Son nom est Point Dume. Juste à droite de celle-ci, s'étend le sable doré de Westward Beach. Ce sont dans les eaux bleues qui baignent ces rochers que vit Mina, une jeune femelle dauphin, et sa famille. Mina a de nombreux amis, parmi lesquels les plus proches sont Bobby, le phoque, Zorgaël, le grand requin blanc, et Gaston, le pélican, dont le nid est au pied de la falaise.

— Mina est amie avec un requin blanc ? s'étonna David. Je croyais que les requins et les dauphins étaient ennemis jurés. »

Kevin sourit dans le noir, ravi que le garçon oublie un peu sa peur. Malgré le passage des années, les personnages et les paysages des récits qu'il racontait jadis à sa fille, après des vacances à Malibu, lui revenaient à l'esprit avec une clarté surprenante.

« Il est vrai que ces deux espèces ne se fréquentent guère en temps normal, et le plus souvent se tiennent à distance respectueuse l'une de l'autre, car chacun de ses membres peut infliger de cruelles blessures à l'autre. Mais dans le cas de Mina et Zorgaël, c'est différent, et leur amitié est le sujet de mon histoire de ce soir. Figure-toi qu'un beau matin de septembre Mina et Bobby se réveillèrent affamés et décidèrent d'aller pêcher leur petit déjeuner favori, des sardines.

— Des sardines au petit déjeuner ? C'est dégoûtant !

— Pas pour un dauphin ou un phoque. Alors qu'ils allaient se mettre en route, ils virent Gaston, le pélican, qui revenait du large, le ventre plein. *Tu as trouvé un banc de poissons ?* lui demanda Mina. *Oui, à quatre miles d'ici, plein ouest*, répondit le grand oiseau. *Tu n'as qu'à suivre les mouettes. Moi je vais faire une petite sieste.*

« Sans plus attendre, les deux amis s'élancèrent dans la direction indiquée, salivant à la pensée du festin qui les attendait. Pour aller plus vite, ils nageaient immergés sous les vagues du large, n'effleurant brièvement la surface que pour respirer. Très vite, la masse bouillonnante d'un énorme banc de sardines s'annonça au système d'écholocation de Mina avant même que ses yeux pourtant perçants ne la repèrent. *Tu prends à gauche, moi à droite et on se retrouve au milieu,* dit-elle à Bobby.

« Mais alors qu'ils se séparaient pour mieux attaquer leurs proies, quelque chose attira l'attention de Mina. Une ombre imposante, à environ trente pieds de profondeur, qui bougeait à peine. Trop grosse pour être un dauphin ou un phoque, trop petite pour une baleine. Cela ne pouvait être qu'un requin. *Bobby, on a de la visite !* En un instant, le jeune phoque était à ses côtés. S'approchant avec d'infinies précautions, tous leurs sens en alerte, les deux amis se retrouvèrent nez à nez avec un grand requin blanc. Un mâle adolescent d'environ quinze pieds, taille respectable pour son âge. Et en piteux état, car il s'était pris dans les mailles d'un filet fantôme, l'un de ces larges pans de filets dérivants qui, perdus au cours d'une tempête, viennent parfois s'échouer sur la côte, capturant au passage poissons, tortues et mammifères marins. Au bord de l'asphyxie – car comme la plupart des squales, le requin blanc doit nager pour alimenter ses branchies en oxygène – il tourna vers Mina et Bobby un regard implorant. *Aidez-moi*, murmura-t-il d'une voix agonisante. *Je vous en supplie.*

«Bobby secoua la tête avec véhémence. *Laissons-le à son sort, Mina. Si nous l'aidons, il nous attaquera sitôt libéré ! Ça mange les phoques, ces bêtes-là, tu le sais bien.* Mais Mina n'était pas du même avis. *On ne peut pas le laisser ainsi*, dit-elle. *Ça pourrait être l'un de nous dans ce filet. Et puis regarde-le. Il est à bout de forces et bien incapable de nous faire du mal. Essayons de trouver quelque chose de tranchant pour couper ces mailles.*

«Plongeant vers le fond, Mina et Bobby, ce dernier avec grande réticence, eurent tôt fait de dénicher, l'un une pierre aiguisée, l'autre un débris de métal coupant, et tenant ces outils de fortune fermement entre leurs puissantes mâchoires, les deux amis entreprirent de cisailler les mailles du filet emprisonnant le requin. Soudain, les yeux noirs du squale roulèrent dans leurs orbites. *Dépêche-toi*, cria Mina entre ses dents, *il perd connaissance !* Redoublant leurs efforts, ils firent sauter un par un les filaments enserrant le grand corps inanimé.

«*Ça y est !* s'exclama enfin Bobby. *Il est libre.*

«Mais le requin demeura immobile, apparemment sans vie.

«*Poussons-le*, dit Mina. *Il faut que l'eau circule dans ses branchies.* Il leur fallut toute leur force pour vaincre l'inertie de cette masse considérable, mais bientôt ils parvinrent à faire avancer le grand requin blanc. Quelques minutes plus tard, celui-ci revenait à lui et s'ébrouait péniblement. *Il bouge, fichons le camp avant qu'il ne nous attaque!* dit Bobby.

«Mais avant qu'ils puissent s'éloigner, le requin leur dit, d'une voix chargée d'émotion: *Merci, de tout cœur merci. Vous m'avez sauvé la vie. Jamais je ne l'oublierai. Je m'appelle Zorgaël et vous n'avez rien à craindre de moi. Si vous le voulez bien, je voudrais être votre ami et peut-être qu'un jour je pourrai vous rembourser la dette que je vous dois.*

«Mina lui sourit. *Je m'appelle Mina et mon ami s'appelle Bobby. Tu ne nous dois rien, mais nous sommes heureux d'accepter ton amitié. Aimes-tu les sardines, car nous mourons de faim et nous serions heureux de partager notre petit déjeuner avec toi.* Revenu de ses émotions, Zorgaël ne se fit pas prier et les nouveaux compères festoyèrent joyeusement ensemble.

«Et c'est ainsi qu'un grand requin blanc se lia d'amitié avec un dauphin et un phoque, conclut Kevin. Ça t'a plu?»

Mais l'enfant ne répondit pas. La tête nichée contre l'épaule de son oncle, il dormait d'un sommeil paisible.

PARTIE IV

14

« Qui aimes-tu le plus ? Elle ou moi ? »

Elle avait lancé ces mots sur un ton faussement léger qui ne parvenait pas à cacher une pointe de dureté.

« Quelle question ! s'était-il exclamé, abasourdi. Comment peux-tu même penser à comparer ?

— Dis-moi ! »

Cette fois, les mots avaient claqué comme un fouet.

« Non, Darling, c'est absurde. Nora est ma fille, *notre* fille, et tu es ma femme. L'amour que je vous porte à toutes deux est tout aussi fort, mais complètement différent. »

Elle avait plissé les yeux en le fixant intensément. Autour d'eux, les autres convives d'Acquerello dégustaient joyeusement l'authentique cuisine régionale italienne qui avait fait du restaurant de Polk Gulch l'une des destinations culinaires incontournables de San Francisco. C'était le jour anniversaire de leur rencontre – Nicole n'avait jamais tenu à célébrer leur anniversaire de mariage – et il s'était arrangé pour que Jeannie garde la petite. Récemment, Nicole avait été encore plus accaparée par son travail que d'habitude et c'était leur premier dîner en tête à tête depuis plusieurs semaines. Il s'en était réjoui par avance. Mais les hors-d'œuvre à peine entamés, la conversation avait pris un tour inattendu.

Nicole avait avalé son Martini et d'un geste impatient en avait commandé un autre – son troisième – au serveur le plus proche.

«Alors réponds à la question suivante : nous sommes en pleine mer sur un bateau en train de couler. Il n'y a ni radeau ni gilet de sauvetage à bord et aucun secours en vue. La côte est à plusieurs miles de distance, trop lointaine pour que Nora ou moi puissions l'atteindre en nageant. Mais toi, tu en es capable. Excellent nageur, tu es même de taille à emmener l'une de nous avec toi. Mais pas les deux ; ça serait au-dessus de tes forces, et si tu essayais, nous coulerions tous les trois. Qui sauves-tu ? »

Kevin avait voulu objecter, mais il savait que c'était inutile. Le rouge aux joues, il avait saisi son verre et bu une longue gorgée de vin. Il était resté muet.

« Elle, n'est-ce pas ? avait insisté Nicole. Réponds-moi, Kev. C'est elle que tu sauverais !

— Oui », avait-il finalement balbutié en baissant les yeux.

Mais la torture n'était pas finie.

« Pourquoi ? »

Il avait secoué la tête, comme pour se réveiller d'un mauvais rêve.

« Parce que c'est une enfant, voyons ! Elle est sans défense, innocente de tout. Et parce que…

— Parce que c'est ta chair et ton sang », avait-elle complété avec un sourire amer sur les lèvres.

Elle l'avait regardé longuement, une lueur indéfinissable dans ses grands yeux bruns. Puis elle avait pris le Martini que le garçon venait de déposer sans un bruit devant elle et l'avait vidé d'un trait.

« Joyeux anniversaire, Kev », avait-elle dit avant de se lever et de tourner les talons, le laissant seul devant leurs assiettes à moitié pleines.

Ils n'avaient jamais parlé de cette soirée. À quoi bon ? Pour lui, le message était clair. Nicole ne pouvait accepter de ne plus être la première.

15

«Comment cela se passe-t-il avec ton neveu?» demanda Fran en tirant sur son cigare.

Grande, sèche et athlétique, le visage tanné, la shérif à la retraite du comté d'Adison n'avait rien de l'image traditionnelle du flic nourri aux doughnuts. De deux ans l'aînée de Kevin, elle le dépassait d'un bon pouce, et sa tête rasée lui donnait un air d'ancien baroudeur androgyne qu'elle cultivait soigneusement.

Kevin avala une longue rasade de bière avant de répondre. «Plutôt bien, enfin je crois. Je le connaissais à peine avant la mort de ses parents, difficile de juger. Mais ça fait maintenant plus d'un mois qu'il est là et il n'y a pas vraiment eu de problème. C'est un bon petit gars, calme et vraiment intelligent. Il semble être à son aise dans sa nouvelle école. Et il a l'air de me tolérer.

— Ça, c'est plutôt surprenant, ricana Fran. Un vieil emmerdeur comme toi, ça n'est pas un cadeau, même pour un orphelin. En tout cas, tant qu'il est là, tu ne vas pas pouvoir te foutre en l'air, c'est déjà ça.»

Elle lui lança un coup d'œil en coin. «Mais ne va pas lui en donner l'envie!

— Je fais de mon mieux pour qu'il se sente chez lui, lui changer les idées, le divertir. Le week-end dernier, je l'ai emmené skier, moi qui n'avais pas chaussé de lattes depuis plus de trente ans ! Et nous patinons régulièrement sur l'étang gelé. Ça l'occupe et ça me fait faire un peu d'exercice.

— Avoue que ça ne te déplaît pas d'avoir à t'occuper de lui. »

Kevin hocha la tête, pensif. « J'admets que je l'aime bien. Il n'est pas compliqué. Et il est vraiment courageux. Souvent, je l'entends qui pleure dans sa chambre, mais si je vais le voir, il essuie immédiatement ses larmes et me sourit. Il ne veut pas montrer qu'il souffre ni que je le traite comme une victime. Mais les nuits sont difficiles. Il fait de terribles cauchemars, pratiquement toujours à la même heure. Ça me fend le cœur. »

Il serra sa bouteille presque à la briser.

« Si je tenais ce salopard de cambrioleur !

— Que pense Nora de cette affaire ? Je présume que tu en as parlé avec elle ?

— Oui, brièvement. Elle est comme tout le monde, choquée par ce qui s'est passé. Mais elle est plus intéressée d'avoir des nouvelles de son cousin que de discuter du double meurtre de sa tante et de son oncle et des éventuels progrès de l'enquête. Pas étonnant d'ailleurs, elle a eu sa dose de calamités.

— À propos d'enquête, dit Fran sur un ton soudainement sérieux, j'ai eu l'occasion de discuter de l'affaire avec Jim Malone, le chef de la police de Newton. C'est une vieille connaissance, avec qui j'échangeais régulièrement des informations dans le temps.

— Est-ce qu'ils ont un suspect ?

— Pas encore. Mais ce qui est troublant, c'est qu'il croit de moins en moins à la thèse du cambriolage raté et du malfaiteur qui panique. »

Kevin l'interrogea du regard.

« Tout d'abord, les enquêteurs ont retrouvé bien en évidence sur le guéridon de l'entrée le sac à main de ta belle-sœur, qui contenait entre autres son portefeuille avec près de trois cents dollars en cash et plusieurs cartes de crédit, ainsi qu'un iphone dernier modèle, détailla la shérif. De même, ton beau-frère avait toujours sur lui son portefeuille, avec cash et cartes de crédit à l'intérieur. Le prétendu voleur n'a pas non plus touché au MacBook qui était ouvert bien en évidence sur la table du séjour. Tout compté, cela représente plus de deux mille dollars à portée de main qu'il aurait pu s'approprier en quelques instants et sans risque, vu qu'il était armé. Même s'il ne pouvait pas raisonnablement s'attendre à ce qu'une voisine insomniaque promène son chien à 2 heures du matin et donne l'alarme, il n'en reste pas moins que ce n'est qu'après avoir entendu les coups de feu que la vieille pie a ameuté le quartier.»

Elle se pencha en avant pour secouer une cendre dans le gros cendrier en onyx posé sur la table à café.

«Tout porte à croire que ton beau-frère a tenté de résister, ce qui est admirable vu qu'il n'était pas armé; l'état de ses phalanges semble même indiquer qu'il soit parvenu à placer un ou deux coups de poing, et l'équipe de la police scientifique a retrouvé sous ses ongles des débris organiques humains, probablement des fragments de peau, qu'ils vont tenter d'identifier grâce à CODIS.

— CODIS?

— Le Combined DNA Index System, expliqua Fran patiemment. C'est une banque de données créée en 1994 qui répertorie les profils ADN de toute personne condamnée pour crime, ainsi que d'un certain nombre de personnes condamnées pour délit ou arrêtées mais pas encore condamnées, et de victimes. Gérée par le FBI, elle est aussi utilisée par les forces de l'ordre de tous les États et par l'armée. Quoi qu'il en soit, même si Brian a pu résister, le voleur, après avoir tiré, aurait encore eu largement le temps de s'emparer des valeurs et objets si visibles avant de s'enfuir…»

L'ancienne shérif fit une pause pour décapsuler une canette et Kevin regarda sa montre. Il était presque 17 heures. David n'allait pas tarder à rentrer de son entraînement de basket-ball.

«Ce qui laisserait à penser, continua Fran, que l'intrus était à la recherche de quelque chose en particulier. Cela expliquerait la manière dont les victimes ont été tuées.»

Kevin avala de travers et, entre deux quintes de toux, demanda : «Qu'est-ce que tu veux dire ? Ils ont été tués par balles, on le sait.

— Oui, mais de façon très professionnelle. Lui de deux balles dans le cœur à courte portée, au pied des escaliers menant au second étage. Et elle, d'une balle dans l'occipital, presque au sommet des mêmes escaliers.

— Nul doute qu'ils voulaient protéger David.»

Fran secoua la tête. «Réfléchis, Kevin. Si tu veux protéger ton gosse d'un cambrioleur, la dernière chose que tu fais c'est de te ruer vers sa chambre. Au contraire, tu vas t'empresser de donner tout ce qui a de la valeur à l'intrus pour qu'il s'en aille sans faire de mal à qui que ce soit. David nous a confirmé qu'au premier bruit il s'était immédiatement caché dans son placard à habits et était resté parfaitement silencieux. Il n'y avait donc *a priori* aucune raison pour que le voleur sache qu'il était là ni ne s'intéresse au second étage alors qu'il avait un butin facile sous les yeux. Or la disposition des corps paraît indiquer que les parents de David ont tenté de l'empêcher de monter les escaliers. Et, d'après les quelques traces retrouvées, il semblerait que leur tueur ait brièvement arpenté le couloir donnant sur les chambres. Pas vraiment le comportement d'un type qui s'affole.

— Peut-être cherchait-il des bijoux, ou un coffre ?

— Peut-être, dit Fran.

— Brian était comptable. Aurait-il eu parmi ses clients des individus peu recommandables, qui auraient voulu se venger s'il avait commis une erreur ou le faire taire s'il avait menacé de les dénoncer ? C'était un Gallagher et la mafia irlandaise de Boston ne plaisante pas avec ceux qui se la mettent à dos.

— C'est précisément la piste que les enquêteurs de Newton sont en train de suivre. Ils ont commencé à éplucher tous les dossiers de ton beau-frère dans l'espoir de trouver un nom ou un indice. Mais ça prendra du temps. De même pour CODIS. Non seulement il est nécessaire de prélever l'ADN des fragments d'épiderme récupérés et de l'analyser, ce qui, vu le manque de personnel et la surcharge de travail accablant les laboratoires médico-légaux à travers le pays, peut prendre de deux à trois mois, mais même si le tueur est fiché, ce qui est loin d'être certain, la base de données comporte plus de 15 millions de profils. Il ne faut donc pas s'attendre à une réponse rapide, comme dans les séries télé.»

La porte d'entrée s'ouvrit brusquement sur David. «Bonsoir, oncle Kevin, dit-il en enlevant ses bottes couvertes de neige et sa grosse parqua, sous laquelle il portait son short et t-shirt de basket, comme un vrai Vermontais. Bonsoir Mrs. Fran.»

David serra poliment la main à l'ancienne shérif avant d'embrasser son oncle.

«Edna doit travailler tard et Fran va donc rester dîner avec nous ce soir, annonça Kevin.

— Super, répondit le garçon avec enthousiasme, je vais mettre la table.»

16

C'était le 26 mars 2000. Trois cents invités – la crème de Silicon Valley – étaient réunis dans la demeure grandiose de Milton Sims, le gourou de la haute technologie et milliardaire de l'Internet, pour déguster des sushis et sashimis hors de prix, boire des flots de champagne et, accessoirement, regarder sur de multiples écrans géants dispersés à travers l'immense bâtisse et autour des deux piscines la soixante-douzième cérémonie des Oscars du cinéma. L'événement, qui se tenait encore à l'époque au Shrine Auditorium de Los Angeles, n'était en fait, tous le savaient même si personne ne l'admettait ouvertement, qu'un prétexte – opportunément justifié par la nomination d'une des sociétés que possédait Sims à l'Oscar des meilleurs effets visuels – pour étaler la magnificence de ce dernier et surtout poser les jalons de deals fructueux au cours de conversations confidentielles dans le bureau du maître des lieux, auxquelles seule une douzaine de convives étaient invités. Membre de cette élite restreinte, et la seule femme, Nicole n'en était de loin pas la plus fortunée. Mais elle avait eu le flair de financer, à ses débuts, l'ascension fulgurante de Sims, qui lui accordait désormais autant de confiance qu'un paranoïaque de son espèce en était capable.

Kevin, lui, avait passé le plus clair de la soirée à boire du Cristal rosé – il avait vainement demandé aux multiples barmen une bière, un verre de vin ou un whisky, mais ces boissons ne faisaient hélas pas partie du thème de la réception – et à se gaver de succulent poisson cru, ceci ayant partiellement compensé cela. Si seulement Jeannie n'avait pas été libre pour tenir compagnie à Nora ce soir-là, il aurait eu l'excuse parfaite pour rester à la maison. Goûtant peu les événements huppés et encore moins les conversations stériles qui en sont l'apanage, il n'avait pas eu à faire d'effort pour rester à l'écart et était probablement le seul invité à avoir écouté le discours d'acceptation de Kevin Spacey.

« Un comédien doué, avait soudain dit derrière lui une voix à l'accent indéfinissable, mais personnellement je pense que Denzel méritait la statuette. Il était formidable dans *The Hurricane*. »

Kevin s'était retourné pour se retrouver nez à nez avec un homme long et bronzé, au profil aquilin et à la crinière de jais. Drapé dans un élégant costume italien en soie, il avait la morgue nonchalante du nanti satisfait.

« Konstantin Vacarescu, avait-il annoncé en lui tendant une main manucurée.

— Enchanté. » Ils avaient échangé une poignée de main polie mais sans enthousiasme. « Kevin O'Hagan. »

Un sourcil soigneusement épilé s'était levé au-dessus d'une prunelle inquisitrice. « O'Hagan ? Êtes-vous apparenté à Nicole Cabot O'Hagan ? »

Kevin avait souri. « Par alliance. Je suis son mari.

— Je vois… » Une moue ironique était apparue sur les lèvres pincées de son interlocuteur. « Vous êtes l'*écrivain*, l'*artiste au foyer*. Quelle aubaine d'avoir une femme qui puisse ainsi nourrir votre muse. »

Sourire disparu, Kevin l'avait fixé d'un regard qui avait instantanément viré du bleu azur au gris acier. Il avait eu la vision de son poing s'écrasant sur le visage condescendant, avait presque ressenti le craquement des os broyés sous ses jointures et la chaleur du sang sur sa main. Tous muscles tendus, il avait été sur le point de passer à l'acte cathartique quand la raison de sa présence lui était revenue *in extremis* à l'esprit. Une altercation n'aurait pu avoir qu'un impact défavorable sur les affaires de Nicole.

«Ma muse souvent m'amuse, mais parfois m'use», avait-il répondu à travers ses dents serrées.

Vacarescu l'avait regardé, interloqué, se demandant visiblement si Kevin se moquait de lui ou était tout bonnement simple d'esprit. Il cherchait une repartie lorsqu'une main de femme s'était posée sur son épaule.

«Konstantin, je vois que tu as fait la connaissance de mon époux», avait dit Nicole. Soulagé, l'homme s'était immédiatement incliné pour lui faire un baisemain théâtral.

«*Bellissima Signora*, quel plaisir!

— Ah, le charme européen!» s'était-elle faussement extasiée en décochant en douce une grimace à son mari. Puis elle avait ajouté: «Vous voudrez bien nous excuser, cher Konstantin, mais je meurs de faim et Kevin m'a promis de me guider à travers le choix étourdissant de sushis.

— Pas de problème, *tesoro*, avait dit l'homme en se fendant d'une autre courbette obséquieuse. *Vediamo più tardi*.[1]

— *Arrivederci, caro mio.*»

L'entraînant par le bras, Nicole avait ricané. «De tous les pédants narcissiques qui hantent cette soirée, il fallait que tu tombes sur le plus sirupeux.»

Kevin s'était laissé aller à un soupir. «Je suis un peu perdu. Est-il roumain ou italien?

— Konstantin maltraite une bonne douzaine de langues, mais personne ne sait d'où il est originaire. Ce qui est sûr, cependant, c'est qu'il a fait une fortune colossale dans les jeux vidéo et qu'il est sur le point de remettre ça dans la réalité

---

1. «À plus tard.»

virtuelle. À croire que tout ce qu'il touche de ses doigts délicats se transforme en or. »

Parvenu devant l'un des buffets, Kevin avait avalé l'une après l'autre deux pièces d'uni.

« J'étais à deux doigts de lui casser la gueule », avait-il dit placidement en se léchant le bout des doigts.

Nicole lui avait jeté un regard noir. « Tu as bien fait de te retenir. C'est un de mes gros clients. Et comme tout homme mal doté par la nature », elle avait levé le petit doigt d'un geste évocateur, « il n'a aucun sens de l'humour et des prédispositions revanchardes.

— Un vrai prince charmant !

— Sans doute. Mais la dernière chose dont j'ai besoin c'est que tu te comportes comme une brute avinée avec lui, avait-elle grondé. Qu'a-t-il pu bien te dire pour te mettre hors de toi ? »

Kevin avait haussé les épaules.

« Cela n'a aucune importance, *tesoro*. »

17

Kevin ouvrit péniblement les yeux, comme l'on se réveille d'une anesthésie ou d'une torpeur alcoolique, des bribes de rêve s'entremêlant obstinément avec la réalité. Allongé à côté de lui, David ronflait légèrement, la tête sur son épaule. Son cauchemar était intervenu plus tard que d'habitude et Kevin avait dû s'endormir après lui avoir raconté une histoire. Il regarda sa montre, dont les aiguilles lumineuses brillaient dans la pénombre. 5 heures du matin, trop tard pour se recoucher. De toute façon, il n'avait plus sommeil. Son rêve l'avait perturbé.

Il s'était attendu à ce que le récit des aventures sous-marines de Mina et de ses amis le replonge dans l'enfance de Nora, mais encore une fois le souvenir de Nicole avait pris le dessus. Il ne parvenait pas à y échapper. Le désirait-il seulement, d'ailleurs? Ne se complaisait-il pas dans cette déprime qui lui collait au corps comme une seconde peau, familière, presque rassurante mais qui poussait sa propre fille à garder ses distances avec lui?

Délicatement, il déplaça son bras jusqu'à ce que la tête de David vienne reposer sur l'oreiller. Puis il se leva, remonta le duvet sur les épaules du garçon et sortit de la chambre sur la pointe des pieds. Maudissant silencieusement les vieilles marches grinçantes, s'arrêtant à mi-chemin pour s'assurer que son neveu dormait toujours, il descendit vers la cuisine.

Après une journée neigeuse, les nuages s'étaient retirés dans le courant de la nuit, révélant une lune presque pleine dont la lueur argentée se reflétait à travers les vitres ornées de givre. Renonçant à allumer la lumière, Kevin prépara un pot de café.

Dehors, le paysage était féerique, tapissé d'un blanc scintillant jusqu'à l'horizon des montagnes. *Icy finger waves ski trails on a mountain side snowlight in Vermont.* C'était bien un panorama de chansons et cartes postales, un décor que recherchaient tant de touristes et pour lequel ils étaient prêts à dépenser leurs économies en chambres d'hôtel, spas et forfaits de ski. Sans compter les célébrités qui n'hésitaient pas à payer plus de 10 millions de dollars pour une propriété au pied des Green Mountains, loin des caméras indiscrètes des paparazzi. Mais ça n'était pas son Vermont à lui, ni celui de Fran ou de leurs amis d'école, enfants d'agriculteurs, de bûcherons ou d'ouvriers qui n'avaient jamais eu les moyens de faire du ski en hiver ou des randonnées à VTT l'été. Leur sport d'hiver à eux, ç'avait été le hockey avec de vieux patins d'occasion souvent trop grands ou trop petits sur un lac ou un coin de rivière gelée et sans casque ni protections. Et en été, la pêche dans les ruisseaux avec des cannes de fortune. Le ski, il n'avait appris à en faire que bien plus tard, à l'autre bout du pays sur les pentes de la Sierra Nevada, grâce à son salaire d'avocat. À ses yeux, c'était toujours resté un sport de riches.

C'est pourquoi il avait été secrètement ravi, lors de leur seconde escapade à Stowe, de voir David délaisser les pistes au profit de la patinoire en plein air de Spruce Peak. Depuis, ils avaient pris l'habitude, quand son neveu rentrait de l'école, de s'élancer sur l'étang glacé au fond du jardin, et Kevin avait même commencé à lui enseigner les rudiments du hockey. À cette pensée, un petit sourire se dessina sur ses lèvres.

Le murmure de la cafetière s'arrêta. Son café, dont l'arôme commençait à embaumer la pièce, était prêt.

18

Sa large carrure inconfortablement engoncée dans une chaise monocoque en plastique bleu, Kevin regardait autour de lui avec une curiosité mêlée de nostalgie. Les murs gris perle étaient tapissés de posters éducatifs, de cartes géographiques et de listes de sujets à étudier, au milieu desquels trônait un grand tableau blanc effaçable faisant également office d'écran de projection. De multiples étagères débordaient de livres, cahiers et classeurs de toutes tailles et couleurs, tandis que, dans un coin de la pièce surmonté du drapeau américain, étaient soigneusement alignés sur une table une vingtaine de Chromebooks, un par étudiant, ainsi qu'un rétroprojecteur dernier cri. À l'exception de l'institutrice Mrs. Sprague et de lui-même, la classe était déserte.

« J'ai profité de ce que les enfants sont en cours d'éducation physique pour vous recevoir, Mr. O'Hagan », dit la jeune femme avec un sourire de bienvenue. Elle devait avoir à peine trente-deux ans, remarqua Kevin, surpris, avant de se souvenir que sa professeure de 5th grade[1] à lui n'était à l'époque pas bien plus âgée. Ce qui lui avait semblé ancien du haut de ses dix ans lui paraissait carrément juvénile maintenant qu'il en avait soixante-trois.

---

1. CM2

« Je vous en remercie, et s'il vous plaît, appelez-moi Kevin. Je n'ai jamais été un grand partisan des formalités. »

Un nouveau sourire. « Avec plaisir. Appelez-moi Laura. » Elle feuilleta brièvement les documents qu'elle avait devant elle avant de continuer. « Voici cinq semaines que David est dans ma classe et, au vu des circonstances tragiques qui ont présidé à son arrivée, le directeur et moi-même avons pensé qu'il serait bien de faire un premier point. »

Le visage de Kevin s'assombrit et elle s'empressa d'ajouter : « Je vous rassure tout de suite, David est un excellent élève et semble s'intégrer harmonieusement dans sa nouvelle classe, spécialement compte tenu des circonstances.

— Vous venez de mentionner deux fois ces fâcheuses "circonstances" que nous ne connaissons que trop bien vous et moi, intervint Kevin. Cela signifie-t-il que David n'est pas traité de la même manière que ses camarades ? Ou qu'il se comporte différemment ? »

L'institutrice le regarda droit dans les yeux. « Kevin, votre neveu a subi un traumatisme émotionnel d'une gravité que nous pouvons à peine concevoir.

— Ma femme a été tuée dans un accident de voiture, l'interrompit Kevin. Je ne suis pas étranger au deuil subit.

— Et vous avez toute ma sympathie. J'ai moi-même perdu mon père il y a neuf ans, décédé d'une crise cardiaque foudroyante. » Sa voix s'était radoucie. « Mais quel que soit le chagrin causé par nos pertes respectives, il ne faut pas être grand psychologue pour reconnaître qu'il doit pâlir en comparaison du déchirement ressenti par un jeune enfant à la mort brutale et simultanée de ses deux parents.

— Ma fille avait à peine six ans lorsque sa mère est morte, murmura Kevin, les yeux baissés.

— Alors vous êtes mieux placé que moi pour imaginer ce que David est en train de vivre.

— Peut-être. »

Il ne trouva rien de mieux à dire.

« Pour répondre à votre question, à part un suivi par Sandra Blair, notre psychologue scolaire, au travers d'entretiens informels, notre école ne traite pas les enfants en deuil autrement des autres. Ils le ressentiraient et cela ne ferait que renforcer leur sentiment de différence et nuirait à leur épanouissement. C'était probablement le protocole suivi par l'école de votre fille, non ?

— C'est exact. »

Les souvenirs d'entretiens analogues commençaient à affluer désagréablement. Il croisa et décroisa les jambes, cherchant vainement à se mettre à l'aise.

« Du fait de la terrible épidémie d'overdoses d'opiacés que connaît la Nouvelle-Angleterre depuis plusieurs années, nos écoles ont acquis une triste expérience en la matière. Et jusqu'à présent, le comportement de David ne paraît pas différent d'autres étudiants de notre établissement ayant perdu un être cher. En fait, il semble un peu plus serein que bien d'autres dans une situation analogue. Ce qui ne veut nullement dire qu'il n'ait pas de soudains accès de tristesse ou de mélancolie, et surtout d'anxiété, phénomènes déchirants mais tout à fait normaux. Et s'il a parfois des crises de larmes, il n'a connu aucune saute d'humeur grave. Pas plus que de manifestation de rejet de l'autorité de ses enseignants ou de différend avec ses camarades. Il s'est d'ailleurs déjà lié d'amitié avec deux ou trois de ces derniers, ce qui est un très bon signe. »

Kevin eut un petit sourire soulagé.

« Académiquement, David se situe dans la bonne moyenne en mathématiques, sciences et musique, et excède largement celle-ci en vocabulaire, grammaire, lecture, géographie et histoire. De plus, il dessine de façon remarquable. » Elle retira plusieurs feuilles d'une chemise, qu'elle plaça sur la table devant Kevin. « Je vous laisse en juger par vous-même. »

Immédiatement, il fut frappé par la qualité et la fraîcheur des dessins. Qu'il s'agisse d'une maison entourée d'un bois et surplombant un étang – qu'avec un pincement de cœur il reconnut comme la sienne – ou de paysages de montagnes peuplés de skieurs dévalant des pentes neigeuses ou de patineurs décrivant des volutes sur un lac gelé, autant le traitement des perspectives que le souci des détails et l'originalité de l'emploi des couleurs dénotaient une maîtrise technique précoce et un œil artistique aiguisé.

Il ne put s'empêcher d'émettre un sifflement admiratif.

«Superbe, en effet. Un artiste en herbe.

— Il y a cependant un détail sur lequel je voudrais attirer votre attention. Discernez-vous un point commun entre tous ces dessins?»

Kevin examina attentivement chacun d'eux, revenant de l'un à l'autre, plissant les yeux.

«La précision avec laquelle il représente chaque personnage», hasarda-t-il finalement. Il effleura du doigt le coin noirci d'un des dessins. «Tiens, il a fait une tache ici, c'est dommage.»

Mrs. Sprague secoua la tête. «Ça n'est pas une tache. Ou si c'en est une, elle n'est pas accidentelle. Il y a la même sur chaque dessin.»

Une fois de plus, Kevin les passa en revue. L'institutrice avait raison. À la périphérie de chaque image – derrière le garage de la maison ou à l'orée d'une forêt – se trouvait une ombre, floue mais distincte, identique aux autres.

«C'est étrange. On dirait une tache de Rorschach.

— Ou une silhouette vue à travers une vitre embuée, ajouta la jeune femme sur un ton indéfinissable. La silhouette d'une personne, à mon avis, car l'on distingue les ébauches de bras et de jambes, et ici...» elle posa son doigt sur l'image que tenait Kevin, «la forme d'une tête.»

Une ombre à l'affût, pensa-t-il.

Sa conversation de la veille avec Fran lui revint en mémoire. David en savait-il plus long sur le sort de ses parents qu'il ne l'avait confié aux enquêteurs ? Cette ombre était-elle une représentation de la violence qui s'était abattue sur lui et sa famille ? Essayait-il d'exorciser sa terreur passée, ou redoutait-il toujours quelqu'un ou quelque chose de néfaste ?

Mrs. Sprague dut percevoir son trouble car elle dit d'une voix réconfortante : « Notre psychologue est de mon avis : il faut éviter pour l'instant de voir dans ces dessins plus que la manifestation de l'imagination d'un enfant intelligent et émotif. Il n'est d'ailleurs pas du tout sûr que ces taches symbolisent son traumatisme ou aient un quelconque lien avec la mort de ses parents. D'ailleurs, il y a des exceptions. David a récemment réalisé ces deux images. Comme vous le voyez, le thème en est différent et "l'ombre" absente. »

Kevin ne put réprimer un sursaut de surprise.

Le premier dessin représentait un dauphin et un phoque nageant vers un requin piégé dans un filet, et le second, un dauphin surfant les vagues, survolé par un pélican.

« Je n'arrive pas à y croire ! Il a dépeint les histoires que je lui raconte pour le réconforter, la nuit, quand il fait des cauchemars.

— Eh bien, elles ont l'air de lui plaire. Et peut-être de le rassurer.

— Je l'espère de tout cœur. Je fais de mon mieux pour qu'il se remette de son épreuve.

— Je n'en doute pas une seconde, répondit Mrs. Sprague avec un sourire chaleureux. Mais vous ne pouvez pas tout faire tout seul.

— Que voulez-vous dire ?

— Sandra Blair est hautement qualifiée. Mais elle est surchargée de travail. Peut-être serait-il bon que, durant les mois qui viennent, David suive une thérapie spécialisée avec une psychologue pour enfants. Si vous n'en connaissez pas, je suis sûre que Sandra pourra vous en recommander une et, si vous le souhaitez, elle restera en contact régulier avec elle. Bien entendu, c'est à vous de décider.»

Kevin demeura silencieux, honteux. L'institutrice avait raison. David avait besoin d'un psy. Pourquoi n'y avait-il pas pensé?

«C'est une excellente idée, merci, dit-il finalement en poussant un long soupir. Je serai ravi d'obtenir une recommandation.

— Je demanderai à Sandra de vous envoyer un mail.»

Elle regarda sa montre.

«Il est temps d'ajourner notre entretien, dit-elle en réunissant les dessins et en les replaçant dans la chemise de dossier. Les enfants vont bientôt être de retour et je préfère que David ne vous trouve pas ici. Gardons le contact, si vous le voulez bien. Je vous tiendrai au courant de tout éventuel développement.»

Il s'extirpa avec reconnaissance de la chaise en plastique et lui serra la main. «Merci. Moi de même, bien sûr.

— Ne vous en faites surtout pas, conseilla-t-elle avec un sourire, il n'y a à mon avis aucune raison de s'inquiéter.»

19

« Et ça, fiston, déclara Kevin en s'arrêtant net devant
la cage de but, c'est en toute modestie un lancer frappé
magistral. »

David, qui avait vainement tenté d'arrêter le tir, releva la
visière de son casque en riant.

« Pas mal pour un ancien.

— Ancien ? Non mais dis donc, petit impertinent, attends
que je t'attrape ! »

Le garçon détala en gloussant sur la glace alors que son
oncle se lançait à sa poursuite. Arrivé à l'extrémité de l'étang,
il se jeta dans la neige en plaidant : « Pitié, pitié ! » L'attrapant
par la taille, Kevin entreprit de le chatouiller furieusement,
avant de s'étaler lui aussi de tout son long à ses côtés. En cet
après-midi de mars, le ciel était d'un bleu limpide et le soleil
faisait scintiller neige et glace.

« Tu apprends vite. Je vais peut-être pouvoir faire de toi
un décent joueur de hockey, après tout. »

David se dressa sur son coude pour le regarder. « J'ai un
bon coach. Même s'il est un peu vieux. »

Saisissant une poignée de neige, Kevin la brandit de façon
menaçante au-dessus du visage du garçon.

« Toi, tu as besoin d'un bon shampooing ! gronda-t-il.

— Non, non ! Je retire ce que j'ai dit. Sauf la partie où tu
es un bon coach. »

L'homme et l'enfant restèrent un moment côte à côte sans parler, savourant la douceur des rayons sur leur visage, un timide présage d'un printemps encore éloigné.

C'est David qui finalement rompit le silence. «Tu m'as appelé fiston tout à l'heure, oncle Kevin.» Ce dernier, qui s'était assis et était en train de s'épousseter, s'arrêta en plein geste.

«Je l'ai dit pour exprimer mon affection, admit-il, embarrassé. Je... je n'essaye nullement de prendre la place de ton père.»

Le garçon sourit, d'un grand sourire sincère. «Je sais. Je voulais juste te dire que... j'aime bien quand tu m'appelles comme ça.»

Rassuré, Kevin lui passa la main dans les cheveux. «Moi aussi, fiston. Allez, il est temps de rentrer à la maison et de savourer un bol de chocolat chaud.»

Ils patinèrent jusqu'à un banc que Kevin avait placé en bordure de l'étang, et troquèrent leurs patins pour les bottes fourrées qui les y attendaient.

Leur équipement sous le bras, ils se dirigeaient vers la maison quand soudain David s'arrêta net. Les traits crispés, il fixait des yeux l'orée du bois.

«Qu'y a-t-il? demanda Kevin, surpris. Tu as oublié quelque chose près de l'étang?»

L'enfant prit une profonde respiration avant de répondre. «Non, c'est rien. J'ai cru voir... une biche là-bas, derrière les arbres. Mais j'ai dû me tromper.» Avec un petit sourire, il reprit sa marche en direction de la maison.

Saisi d'une vague appréhension, Kevin parcourut du regard le bois. Tout semblait paisible. Le soleil avait atteint la cime des arbres, dont les ombres s'allongeaient en prémices à la nuit, et le froid de fin de journée commençait à se faire sentir. Haussant les épaules, il emboîta le pas à son neveu.

Attablés dans la cuisine, David dévorait un toast au beurre de cacahuètes accompagné de grandes rasades de chocolat chaud tandis que Kevin sirotait une tasse de café du matin qu'il avait réchauffé dans le micro-ondes. Il regarda l'enfant par-dessus le filet de vapeur émanant de son breuvage.

« Tu as bien joué aujourd'hui. Je suis impressionné par tes progrès. »

David haussa les épaules, mais son sourire trahissait sa fierté. « Ça me plaît, le hockey, surtout quand on a une patinoire pour nous tout seuls.

— Si tu le désires, l'hiver prochain je t'inscrirai dans un club. »

L'enfant, la bouche pleine, fit oui de la tête.

« Dis-moi, ajouta Kevin sur un ton qui se voulait badin, tu as fait une drôle de tête tout à l'heure, quand on rentrait. On aurait dit que tu avais vu un fantôme. »

Une ombre fugitive passa sur le visage de David, comme un nuage poussé par le vent obscurcit un bref instant le soleil et s'écarte au moment même où l'on s'en aperçoit. Le sourire revint aussitôt.

« Je te l'ai dit, j'ai cru apercevoir une biche ou un autre animal…

— Je suis allé rendre visite à ton institutrice, l'autre jour, continua Kevin, estimant préférable de changer de sujet. Elle a l'air très sympathique.

— Mrs. Sprague ? Oh oui, je l'aime bien. Elle nous pousse un peu fort parfois, mais toujours pour notre bien.

— Elle m'a dit que tu es un très bon élève. Et elle est particulièrement impressionnée par tes talents de dessinateur. Elle m'a d'ailleurs montré quelques-unes de tes œuvres, et je suis d'accord avec elle. Tu es vraiment doué. »

Il lui jeta un coup d'œil à la dérobée avant d'ajouter : « J'ai beaucoup aimé les dessins que tu as faits de Mina et de ses amis. »

À ces mots, l'enfant rougit violemment et baissa les yeux vers sa tasse. « J'avais envie de voir à quoi ils ressemblaient, expliqua-t-il avec hésitation. Tu ne m'en veux pas, dis, oncle Kevin ?

— Je n'ai aucune raison de t'en vouloir. Au contraire, répondit ce dernier en riant, j'en suis très touché, et très fier. »

David releva la tête, visiblement rassuré.

« Je peux te poser une question ? demanda-t-il timidement.

— Mais bien sûr, fiston. Tout ce que tu veux.

— Pourquoi tu n'as jamais écrit les aventures de Mina ? Tu es écrivain, non ? Et ça ferait un chouette livre. Je crois que beaucoup de parents l'achèteraient à leurs enfants. »

Kevin se gratta le menton, perplexe.

« À dire vrai, je n'ai jamais pensé que ces petites histoires pourraient intéresser qui que ce soit, reconnut-il finalement.

— Pourquoi pas ? Elles me passionnent, moi. Et cousine Nora, elle les aimait aussi quand elle était plus petite, non ?

— Tu as un excellent argument, dit Kevin en souriant. Écoute, faisons un marché, toi et moi. Je suis d'accord pour écrire les histoires, si toi tu acceptes de les illustrer. Qu'en penses-tu ? »

David sauta sur ses pieds, les bras levés au plafond. « Génial ! » Contournant la table, il prit son oncle dans ses bras et lui donna un baiser sonore.

« Je ferai du bon travail, je te le promets. »

Frances «Fran» Murray plaça son verre tulipe à hauteur du ventre à l'aplomb de son nez et, le remontant lentement vers celui-ci, huma avec concentration les arômes du whisky qui s'amplifiaient graduellement sans pour autant submerger son système olfactif. Comme son patronyme l'indiquait, Fran comptait un bon nombre d'Écossais – et aussi quelques Abenakis – parmi ses ancêtres et s'il y avait bien une chose avec laquelle elle ne badinait pas, c'était son eau de feu favorite, le single malt scotch whisky.

Accoudé au bar à ses côtés, Kevin sirotait une Sam Adams tout en regardant avec un sourire amusé sa vieille amie, les yeux à moitié fermés, laper une petite gorgée du liquide ambré et la faire tourner avec délice dans sa bouche.

«Préviens-moi quand tu atteindras l'orgasme, railla-t-il, pour que je puisse me mettre à l'abri.»

Fran rouvrit les yeux et prit le temps de déguster une deuxième gorgée avant de répondre. «Un anCnoc vingt-deux ans d'âge, ça se savoure avec la même délicatesse qu'une jeune fille du même millésime.

— Qu'est-ce que tu en sais des jeunes filles? Cela fait quarante ans que tu es maquée avec Edna.»

Dans la salle à manger de la Wild Goose Tavern, une demi-douzaine de tables étaient encore occupées par des clients finissant leur repas ou payant leur addition. Il était plus de 21 heures et les gens se couchaient tôt en semaine dans cette partie du Vermont. Kevin avait lui-même promis d'être rentré avant 22 heures à Shelly, la sœur de son voisin fermier qui avait bien voulu tenir compagnie à David pour la soirée. Ce dernier avait d'abord rechigné, mais ses réticences s'étaient envolées quand la jeune femme lui avait proposé de lui apprendre à monter à cheval dès les beaux jours revenus.

«J'ai une longue mémoire», soupira Fran en haussant les épaules. Elle lui jeta un coup d'œil inquisiteur. «Et toi, Kev, ne serait-il pas temps que tu te remettes à fréquenter quelqu'un? Avant d'être complètement décrépit et aigri comme du vinaigre.

— Je ne crois plus au mythe du bonheur en couple. C'est au mieux une compromission, au pire …» Il ne finit pas sa phrase, il n'en avait pas besoin. Fran savait bien qu'aux yeux de Kevin rien ne pouvait être meilleur et surtout pire que ce qu'il avait connu avec Nicole. Ça n'était ni sa tâche ni de son ressort de lui faire changer d'avis. Même si elle avait son opinion à ce sujet.

Fran avait rencontré Nicole une fois, près de vingt ans auparavant, lors de vacances avec Edna en Californie durant lesquelles les deux femmes avaient longé la côte en voiture de Crescent City à San Diego. Entre San Francisco et Santa Cruz, Kevin les avait convaincues de faire un détour par Palo Alto et invitées à passer la nuit dans leur superbe résidence. Ils avaient dîné dans un restaurant japonais de Menlo Park – la première fois que Fran mangeait du poisson cru. Nicole s'était montrée charmante, gaie et attentive, mais Fran avait très vite perçu derrière cette façade enjouée un noyau dur et une volonté impitoyable. Peu de choses échappaient aux yeux expérimentés de la policière et elle avait été frappée par le peu d'ascendant qu'avait Kevin dans son couple, lui qui, d'aussi loin qu'elle l'eût connu, s'était toujours efforcé, le plus souvent avec succès, d'être maître de son environnement et de sa destinée.

Un détail, parmi d'autres, l'avait frappée : la façon dont Nicole disait « ma maison », et non pas « notre maison », en parlant de leur demeure conjugale. Fran n'avait d'ailleurs rien retrouvé de Kevin dans l'ameublement et la décoration de celle-ci, à l'exception de son bureau, où la personnalité de son vieil ami semblait s'être réfugiée. Avant la fin de la soirée, Fran en était arrivée à la triste conclusion que Nicole était soit une garce égocentrique, trop absorbée par elle-même pour pouvoir réellement partager de l'amour avec autrui, soit, plus probablement, une manipulatrice perverse narcissique passée maîtresse dans la vampirisation émotionnelle de son conjoint, sa victime de choix. Bien sûr, elle n'en avait jamais fait part à Kevin.

Elle prit une nouvelle gorgée de scotch avant de demander. « Et pour le sexe ? Il faut bien prendre soin de l'indispensable, quand même ! »

Kevin sourit. « Pour ça, il y a des établissements fort adéquats à Montréal, et avec le taux de change actuel, très abordables.

— Tu vas jusqu'au Québec pour tirer un coup ? s'étonna Fran en éclatant de rire. Il n'y a pas assez de call-girls à Burlington pour satisfaire tes besoins ? Crois-moi, il y a même de bonnes bourgeoises qui arrondissent ainsi leurs fins de mois.

— Précisément, répondit-il en rougissant un peu. C'est trop petit, ici. Tout le monde connaît tout le monde. Je ne voudrais pas réaliser un jour que la femme que je viens de baiser la veille est l'épouse du prof de français de David. »

Il fit signe à la serveuse de lui apporter une nouvelle bière. Se tournant vers Fran, il lui lança un regard devenu sérieux.

« Sais-tu où en est l'enquête sur les clients de Brian ?

— Il semblerait que ton beau-frère fût de cette rare espèce : un comptable honnête. La police de Newton n'a pas fini de passer ses dossiers au crible – cela prendra encore

plusieurs jours – mais jusqu'à présent ses comptes paraissent impeccablement tenus et ses clients plus blancs que blanc.»
Kevin eut une moue dubitative.

«Se pourrait-il que la cause du double meurtre soit différente de celles envisagées jusqu'à présent? Un motif plus... personnel?

— Tout est possible. Tu as quelque chose de particulier en tête?

— Peut-être, je ne sais pas. J'ai eu une entrevue avec l'institutrice de David, il y a quelques jours, et elle m'a montré des dessins – très beaux d'ailleurs – qu'il a faits depuis qu'il a rejoint l'école. La plupart représentent des paysages des alentours et sont parfaitement anodins, sauf que sur chacun d'eux il y a dans un coin une espèce d'ombre diffuse d'apparence humaine, un peu comme une tache de Rorschach, mais en moins aléatoire, qui tranche avec le style très précis du reste de l'image. C'est comme si le gosse avait, consciemment ou inconsciemment, représenté une menace qui pèserait sur lui. Et je l'ai aussi parfois surpris à regarder les alentours de chez nous comme s'il avait vu ou s'attendait à voir apparaître une présence hostile. J'en viens à me demander si le tueur n'en avait pas après lui, et si David ne craint pas qu'il récidive.

— Kev, mon ami, prévint Fran en lui mettant une main sur l'épaule, évite de jouer au détective ou au psychologue amateur. Comme Freud l'a avoué lui-même, parfois un cigare n'est rien d'autre qu'un cigare.

— Tu sais qu'il s'agit d'une citation apocryphe.

— Pardon?

— Freud n'a probablement jamais dit ça.

— S'il ne l'a pas dit, il aurait dû. Sérieusement, après le calvaire que ce gamin a vécu, je suis plaisamment surprise qu'il ne griffonne pas des corps mutilés dans les marges de ses cahiers. Donne-lui seulement le temps de se réajuster à une vie normale. Et si vraiment les choses ne s'arrangent pas, emmène-le voir un psychologue.

— C'est fait, il a commencé une thérapie la semaine dernière. Au début, il a rechigné un peu, mais il a l'air de s'y habituer. Et sa thérapeute m'a fait très bonne impression. J'espère qu'elle va l'aider, sinon à oublier, ce qui est impossible, du moins à tourner la page.

— A-t-il toujours ses cauchemars ?

— Pas aussi souvent, heureusement. Car ces cris, cette terreur dans ses yeux, je n'ai jamais vu ça ! Même Nora ne se mettait pas dans des états pareils. On dirait un animal pris dans un piège. »

Il vida sa bouteille de bière d'un trait. « Mais après tout, c'est tout ce que nous sommes, des animaux, rien de plus. »

Ce fut au tour de Fran d'avoir un sourire amusé sur les lèvres. « Peut-être, mais des animaux avec une conscience.

— Conscience, mon cul, Fran ! La seule conscience que nous ayons réellement est celle de l'inéluctabilité de notre propre mort. Cela ne nous rend pas supérieurs au reste de la création, seulement plus angoissés. »

Il fit une pause, avant d'ajouter avec mélancolie : « Seuls certains parmi nous, quelques rares privilégiés, possèdent quelque chose, une étincelle, une bribe de clarté au milieu de ce sombre océan de merde qu'est la vie.

— Et c'est quoi cette étincelle ? L'argent ? Le pouvoir ? Le sexe ? »

Kevin secoua la tête.

« Le génie, Frannie. Le don de créativité. Qu'elle soit scientifique, artistique, sportive ou même sexuelle, pourquoi pas. Ces quelques bienheureux, Einstein, Picasso, Mozart, Shakespeare, Pelé ou Casanova, sont parvenus à transcender leur misérable condition et à créer une œuvre. Pour une seconde ou pour l'éternité, ils ont eu en eux une faculté rarissime, le pouvoir de surpasser leur destinée et, comme Prométhée, de dérober le feu sacré de l'Olympe.»

Fran lui lança un regard compatissant.

«C'est ce que tu as tenté d'accomplir, n'est-ce pas?

— Tenté et échoué. J'ai eu beau battre des ailes toute ma vie, je ne suis pas parvenu à décoller une seule fois.» Il étouffa un rot. «Un romancier célèbre a dit un jour qu'écrire n'est pas une profession mais une vocation de douleur. Il avait bien raison, crois-moi. Le plus ironique dans tout ça, c'est qu'à soixante-trois ans, je suis de retour devant mon ordinateur. Je dois être masochiste.

— Tu t'es remis au travail? demanda Fran, surprise.

— Si on veut. David m'a persuadé d'écrire les histoires que je lui raconte la nuit, et qu'avant lui je racontais à Nora. Et lui, il les illustre, fort bien d'ailleurs. Mais ça n'est pas trop sérieux, on s'amuse.

— C'est peut-être ça la clé du succès, dit Fran avec un clin d'œil.

— Je n'y pense même pas, sinon je n'écrirais pas.»

PARTIE V

22

Quand le doute avait-il commencé à s'insinuer dans son esprit ? Au début, ça n'avait été qu'un vague malaise, comme lorsque l'on couve un rhume. Une sourde intuition, sans fondement concret, avait fait son chemin en lui bien avant que n'apparaissent les premiers soupçons. Et comme l'on rejette les signes avant-coureurs d'une maladie, il s'était longtemps efforcé d'ignorer ce que son cœur savait déjà. À ce jour, il ne pouvait toujours pas déterminer à quel moment précis il avait basculé et s'était résolu à se confronter à la réalité.

Dès le début, Nicole avait connu un emploi du temps mouvementé, pour ne pas dire frénétique. Faire démarrer, croître et gérer une société de capital-risque à Silicon Valley tient tout à la fois du sprint et du marathon. Ne réussit pas qui veut. Ayant trimé des années comme avocat, Kevin n'était lui-même pas étranger aux journées de travail de vingt-quatre heures et plus. Le succès s'était produit au détriment des dîners en couple ou en famille, des week-ends délicieusement oisifs et des vacances sans la constante interférence des appels de clients. En cela, ils n'avaient pas été différents de la plupart des autres habitants de cette enclave privilégiée qui vivait à l'heure du futur sans pouvoir savourer le présent. Les rôles étaient simplement renversés. Kevin s'occupait des langes et des biberons, puis plus tard des devoirs et des matchs de Pee Wee League, alors que Nicole bâtissait et gérait son empire et se contentait de son rôle de parentage à la demande, assumant sa tâche de mère au gré de ses dispositions, comme l'on commande un film sur Netflix, un soir de désœuvrement. Enchanté par son nouveau rôle de père, la situation n'avait pas dérangé Kevin. Elle, oui.

Il faut dire qu'il avait une large part de responsabilité dans la situation. Nicole ne l'avait-elle pas clairement averti, dès le début de leur relation, qu'elle n'entendait nullement fonder une famille ? Pas tant par manque de fibre maternelle que par réalisme. Ses plans ne lui permettant pas d'être la mère qu'elle aurait voulu devenir, mieux valait selon elle s'abstenir. Cela n'avait pas troublé Kevin. Ayant jusque-là connu des relations sans lendemain, il s'était plus soucié d'éviter une grossesse accidentelle que de procréer. D'autant plus qu'il savait la lignée des O'Hagan assurée par ses lointains cousins et leurs descendances. Mais grossesse il y avait eu, malgré la pilule contraceptive que Nicole ne manquait jamais de prendre chaque jour. Une chance statistique de 0,1 %. Elle avait voulu avorter. Il s'y était opposé. La religion de ses ancêtres lui interdisait d'envisager un tel acte. À force de tendre persuasion, elle avait cédé.

Elle avait affronté sa grossesse comme le reste de sa vie, à bras-le-corps. Faisant fi des nausées matinales qui la forçaient à conserver au pied de son bureau un seau pour vomir, elle n'avait changé ni son emploi du temps ni ses habitudes, si ce n'est pour s'abstenir de consommer de l'alcool en dehors d'un verre de vin occasionnel. Elle avait même redoublé de travail, ne s'interrompant que la veille de l'accouchement. Celui-ci avait été bref et sans difficulté. Pressée de connaître le monde, Nora était arrivée si vite qu'elle avait presque échappé aux mains de l'obstétricienne. Comme de coutume aux États-Unis, Kevin avait coupé le cordon ombilical, tenant dans ses mains tremblantes d'émotion ce petit être gluant qui l'avait regardé pour la première fois et avait transformé sa vie pour toujours. Nicole, elle, avait bravement tenté d'adapter la sienne.

De retour au bureau deux semaines après l'accouchement, elle avait allaité sa fille, par l'entremise de Kevin, grâce à des tire-lait qui lui permettaient d'extraire et de stocker le précieux liquide, à la maison comme au travail, dans des biberons que son mari donnait ensuite à Nora, de jour comme de nuit. Parfois Nicole avait même envoyé par coursier depuis son bureau une «cuvée» d'urgence pour satisfaire l'appétit insatiable de la petite.

Mais malgré les multiples et épuisantes contraintes du travail et de la parenté, et la déception grandissante de Nicole vis-à-vis de la carrière de son mari, ils étaient parvenus, du moins durant les toutes premières années de vie de Nora, et à l'exception des quelques mois suivant sa naissance, à maintenir tant bien que mal une certaine intimité de couple. Il n'avait pas été inhabituel pour Nicole de rentrer du travail tard dans la nuit et de tirer Kevin de son sommeil pour une brève mais ardente étreinte sexuelle. Et peut-être était-ce lorsqu'elle avait cessé de le solliciter ainsi, préférant se glisser silencieusement sous les draps après une douche discrète, qu'était né en lui le doute.

23

« *Mina et la marée de méduses.* » Alors qu'il tapait le titre sur le clavier de son ordinateur, Kevin ressentit un pincement de nostalgie. C'était l'histoire préférée de Nora lorsqu'elle avait six ans. Au fur et à mesure qu'elle grandissait, les récits qu'il lui racontait s'allongeaient, devenaient plus élaborés et traitaient de sujets plus sérieux. À l'image de sa relation avec Nicole, sa narration prenait parfois une tournure un peu inquiétante, mais contrairement à celle-ci, elle se concluait toujours par un *happy ending*.

Il fut interrompu par de légers coups frappés au chambranle de la porte entrouverte.

« Entre, mon grand », dit Kevin sans se retourner.

David pénétra dans le petit bureau contigu au salon, un papier à dessin à la main.

« J'ai fait des recherches sur Internet et j'ai trouvé plein d'images de Point Dume. J'en ai copié une… Qu'est-ce que tu en penses ? »

Kevin prit la feuille que David lui tendait. C'était une vue depuis la mer, dépeignant de façon saisissante les roches ocre de la falaise plongeant dans l'écume blanche des vagues sous un ciel d'azur.

« Pas mal du tout, dit-il avec un hochement appréciateur de la tête. On croirait que tu as vécu à Malibu toute ta vie. Mais tu as oublié les gros blocs de pierre au pied de la falaise.» Quelques frappes rapides sur son clavier firent apparaître une photo sur l'écran. «Tu vois ces brisants, entre la paroi et la mer? C'est là que Gaston a son nid.

— J'aurais pensé qu'il vivait au sommet de la falaise, comme les mouettes et les autres pélicans.»

Kevin sourit.

«Gaston n'est pas un pélican comme les autres. Bien qu'il ait de nombreux amis et pas mal de cousins sur Point Dume, il aime sa tranquillité. C'est pour cela qu'il vit un peu à l'écart, sur le plus gros rocher, juste au-dessus du niveau des vagues.

— Mais ça ne lui serait pas plus facile de décoller depuis la crête? Et puis il pourrait voir le large et les nuages d'oiseaux indiquant un banc de poissons.»

Bien réfléchi, mon gars, pensa Kevin, ravi de l'intérêt que David consacrait à son projet. Nora ne lui avait jamais posé ce genre de questions.

«Gaston a une envergure de plus de deux mètres soixante, ce qui est très grand pour un pélican brun. Une fois ses ailes déployées, un simple soupçon de brise lui permet de prendre son vol sans problème. Quant à la pêche, il n'est pas un suiveur mais un leader. Gaston se targue, à juste titre, de sa faculté sans rivale à repérer un banc de sardines ou de maquereaux. C'est d'ailleurs souvent lui qui indique à Mina, Bobby ou Zorgaël où trouver leur repas.

— Génial! s'exclama le garçon. Tu sais, avec Zorgaël, Gaston est mon personnage préféré!

— Tu n'aimes pas Mina? demanda Kevin avec un léger froncement de sourcils.

— Si, si, elle est très attachante et aussi la plus intelligente de tous. Mais Gaston et Zorgaël me font rire. Et puis ce sont des garçons, alors c'est plus facile de m'identifier à eux.»

Évidemment! Comment n'y ai-je pas pensé plus tôt? Ces récits ont été originellement conçus pour une fille.

«J'ai pris bonne note et ferai en sorte que tes amis aient toujours une large place dans mes histoires.»

L'enfant lui fit un clin d'œil. «Merci, oncle Kevin.

— N'oublie pas de te coucher tôt, ce soir. Demain matin, nous emmenons Fran passer le week-end chez ta grand-mère, et tu peux être sûr que cette vieille peau de flic va se pointer à l'aube.

— Pas de problème, répondit David en se dirigeant vers la porte. Je finis mon dessin et je me mets au lit.

— Encore une chose, David.»

Le garçon se retourna, l'air interrogateur.

Kevin hésita.

«J'espère que tu sais que… si tu as besoin ou envie de discuter de quoi que ce soit, je suis toujours à ta disposition. Quoi que ce soit, tu comprends?»

David le regarda, les yeux soudain brillants et un peu inquiets. Il ouvrit la bouche pour parler, mais la referma sans un mot et déglutit, comme pour ravaler les paroles qui lui étaient venues aux lèvres. Il détourna son regard, fixant un long moment ses pieds sans les voir. Finalement, il réussit à forcer un sourire.

«Je sais, oncle Kevin. Merci», murmura-t-il.

Hésitant, il ajouta:

«Il y a bien quelque chose que je voudrais…»

Ses traits se durcirent, son sourire s'effaça. Il secoua la tête et lança: «Mais pas maintenant!», avant de disparaître dans le couloir.

24

Le puissant moteur V8 ronronnait plaisamment, propulsant sans effort le Ford F-350 Crew Cab de Fran sur la Yankee Division Highway en direction du sud. S'il était vrai que Louise avait été ravie de les accueillir pour le week-end et de dorloter son petit-fils chéri, et qu'Edna, professeur de sciences politiques à University of Vermont, avait momentanément délaissé Fran pour se rendre à une convention à Washington, DC, savourer les premières douceurs printanières d'avril au bord de l'océan n'était qu'une des raisons pour leur visite à Gloucester. L'enquête préliminaire terminée, sans révéler aucun indice suspect dans les dossiers de Brian, et avec l'approche de la belle saison, il était temps de mettre en vente la maison natale de David. Émotionnellement incapable de se rendre elle-même sur les lieux, Louise avait sollicité l'assistance de Kevin pour effectuer un inventaire des biens s'y trouvant et rapporter les éventuels objets de valeur ainsi que quelques meubles, livres et objets appartenant à David. Fran avait sauté sur l'occasion d'offrir les services de son gros pick-up. Après avoir déposé David chez sa grand-mère, les deux amis avaient pris la route vers Newton, promettant d'être de retour pour dîner.

« Ça te démangeait d'aller faire ta petite investigation personnelle, n'est-ce pas ? dit Kevin alors qu'ils quittaient l'autoroute pour s'engager brièvement sur Washington Street avant de prendre à droite sur Beacon Street.

— Que veux-tu dire par là ? demanda Fran, feignant la surprise.

— Depuis dix ans, tu n'as pas quitté le Vermont une seule fois. Au grand dam d'Edna qui souhaiterait tant passer les fêtes au soleil de la Floride ou des Bahamas. Il fallait donc une sérieusement bonne raison pour te faire bouger. »

Fran fit une grimace. « Faute de piste, la police de Newton s'est rabattue pour le moment sur la thèse du cambriolage bâclé. Mais j'aimerais me faire ma propre opinion. » Elle regarda son ami pensivement. « Et puis sincèrement, cela ne te fera pas de mal d'avoir de la compagnie. Même si les corps ont été enlevés depuis belle lurette, cette visite ne va pas être particulièrement gaie.

— C'est une bonne chose que David soit resté pour la journée chez Louise. »

Une autre grimace.

« Il a déjà tout vu... en *live*. »

Kevin secoua la tête.

« Pauvre gosse.

— Lui au moins il est vivant. »

Un virage à gauche et le pick-up s'engagea sur une longue rue bordée d'arbres et de résidences familiales en bois et bardeaux.

« Garland Road, nous y sommes. » Après avoir consulté du regard l'adresse inscrite sur un bout de papier, Fran se gara devant une maison de deux étages, blanche aux volets verts, semblable à ses voisines.

« Heureusement que Louise a accepté de se contenter d'un inventaire filmé, dit Kevin en mettant pied à terre et s'étirant de toute sa hauteur, sinon on en aurait pour le week-end. »

Parvenu sur le porche, il attendit que Fran le rejoigne, puis retira de sa poche la clé que sa belle-mère lui avait confiée et la fit tourner dans la serrure. Il tira sur la clenche et le battant s'ouvrit sans bruit. À peine franchie l'entrée, où étaient encore alignés vestes, chapeaux et chaussures, ils furent assaillis par l'odeur du sang en putréfaction, fétide et familière à tous deux, elle pour s'être rendue sur des dizaines de scènes de crime durant ses quarante ans de service et lui pour avoir maintes fois dépecé un cerf ou un orignal au retour d'une chasse fructueuse. Malgré cela, Kevin dut s'arrêter un instant pour réprimer une nausée qui lui montait à la gorge.

« Je t'avais prévenu que ça ne serait pas une partie de plaisir, lui dit Fran en lui mettant une main sur l'épaule. Tu peux m'attendre dans la voiture, si tu préfères. Je t'appellerai si j'ai besoin de toi.

— Non, répondit Kevin en reprenant son souffle, ça ira. »

Le vestibule s'ouvrait sur un grand séjour flanqué à droite par le comptoir d'une cuisine américaine et à gauche par l'escalier menant à l'étage. Le peu de jour filtrant à travers les rideaux tirés ne parvenait pas à dissiper la pénombre dans laquelle la maison était plongée. En quelques pas, Fran se dirigea vers les épaisses tentures recouvrant la baie vitrée donnant sur le jardin et, d'un geste vif, les ouvrit en grand. Un flot de lumière crue inonda la pièce.

Kevin tressaillit. À quelques mètres sur sa gauche s'étendait une large flaque de sang séché, de couleur brune presque noire. Le sang de Brian. Cernant en partie la tache de sang, le contour du corps de son beau-frère était tracé à la craie sur le parquet, les bras en croix, les jambes étendues, comme un crucifix grandeur nature.

« Il est mort en se battant, dit Fran avec respect.

— Oui, mais il est mort quand même », remarqua Kevin avec un mélange de pitié et d'envie. *Plus de joies ni d'espoirs, mais plus non plus de déceptions ni de peines. La paix des morts, la solution à tous les problèmes.*

Alors que Fran prenait des photos avec son smartphone, Kevin enjamba soigneusement la silhouette et le sang pour se diriger vers le second étage. Au milieu de l'escalier, il s'arrêta de nouveau. Les deux dernières marches étaient elles aussi recouvertes d'une épaisse croûte de sang et le mur était maculé de violentes éclaboussures, dont la texture en relief indiquait la présence lugubre de matière cérébrale. Le pourtour à la craie, informe et grotesque, semblait indiquer que la victime s'était effondrée comme une pile de linge sale contre la paroi.

« D'après le tracé de la balle et les projections de sang, le malfaiteur se trouvait une ou deux marches en dessous de Georgia quand il a tiré, lança Fran depuis le bas de l'escalier, où elle s'était accroupie pour prendre des gros plans du parquet. Le rapport du médecin légiste indique que la balle est entrée par le côté droit de l'os occipital et est ressortie juste au-dessus de l'arcade sourcilière gauche pour venir se ficher dans le mur, ce qui est compatible avec une arme tenue par un droitier. »

Kevin remarqua un trou de plusieurs centimètres dans le plâtre au milieu des éclaboussures.

« Les enquêteurs n'ont pas retrouvé de douilles, poursuivit Fran, ce qui signifie que l'homme – ou la femme – a soit fait le ménage avant de s'éclipser, soit utilisé un revolver. Quant aux trois balles, elles ont été récupérées. Il s'agit de projectiles .357 Magnum Hydra-Shok à fort effet de champignonnage. Ce qui explique les dégâts infligés. »

Elle n'avait pas besoin d'entrer dans plus de détails. Il était évident que la tête de la pauvre Georgia avait littéralement explosé sous l'impact.

« Elle n'a pas souffert, murmura Kevin.

— Miséricordieusement. Quoi qu'il en soit, l'absence de douilles et l'extrême déformation des projectiles rendent quasiment impossibles la détermination de la signature mécanique de l'arme et donc son éventuelle identification, au cas où elle aurait déjà servi dans d'autres mauvais coups. »

Kevin avait repris son ascension et était sur le point d'atteindre le palier quand quelque chose de dur craqua sous ses pas. Il se baissa et, plissant les yeux, aperçut ce qui ressemblait à des échardes d'un blanc jaunâtre. Il en saisit une pour l'examiner de plus près et comprit avec horreur qu'il s'agissait d'un débris d'os. Il marchait sur les restes du crâne de sa belle-sœur. Il lâcha le fragment, soudain pris de vertiges. Cherchant appui de la main sur le mur, ses doigts rencontrèrent la consistance révoltante des éclaboussures et il les retira comme s'il s'était brûlé sur une plaque chauffante. Il dut s'agripper de l'autre main à la rambarde pour ne pas basculer à la renverse.

En deux bonds, Fran était à ses côtés.

«Ça va, mon vieux? demanda-t-elle d'une voix rassurante. Tu ne vas tomber dans les pommes, quand même.»

Kevin ferma les yeux et prit de longues inspirations avant de les rouvrir. «Ça va… un peu le tournis, c'est tout.»

Le prenant par le bras, Fran l'aida à gravir les dernières marches.

«Merci, dit Kevin. Je me sens mieux.»

À l'étage, le silence était lourd, l'air confiné, l'odeur de mort plus intense, presque musquée. Il y régnait le calme propre à l'intimité des chambres à coucher, auxquelles d'ordinaire seuls famille et intimes accèdent, et que même dans ces circonstances extrêmes, les enquêteurs semblaient avoir peu dérangé.

«Par quelle pièce veux-tu commencer l'inventaire? s'enquit Fran.

— Ça n'a pas d'importance. Mais avant de s'y mettre, je voudrais que tu m'aides à vérifier quelque chose, si tu es d'accord. Tu m'as bien dit que les policiers avaient trouvé la lumière du couloir allumée en arrivant sur les lieux, n'est-ce pas?»

Fran hocha la tête. «C'est exact. Probablement par l'intrus, car ni Brian ni Georgia n'auraient pu atteindre le commutateur avant d'être tués, et dans sa déposition David a confirmé que ses parents l'éteignaient toujours après l'avoir mis au lit.

— Bien. Reste où tu es, intima Kevin à sa vieille amie. Quand je te le dirai, rends-toi lentement jusqu'au seuil de la chambre du gosse, OK?»

L'ancienne shérif eut un petit sourire complice. «Je crois que je vois où tu veux en venir. D'accord, j'attends.»

Allumant la lumière, Kevin s'avança dans le couloir jusqu'à la chambre de David. Séparée de celle de ses parents par une salle de bains, elle était étonnamment vaste et soigneusement rangée pour une chambre d'enfant. Là aussi, les rideaux étaient tirés et il lui fallut quelques secondes pour repérer dans la pénombre la porte coulissante à lames de la penderie. Il l'atteignit en quelques enjambées, l'ouvrit et, après s'être agenouillé sous la barre supportant les cintres, la referma et appuya son visage contre celle-ci, les yeux à la hauteur d'un interstice entre deux lamelles de bois.

«Vas-y», lança-t-il.

Fran s'exécuta et une fois parvenue à l'embrasure de la porte l'interrogea: «Ça te va?

— Non, retourne à ton point de départ et recommence, s'il te plaît.» Alors qu'elle s'exécutait, Kevin se déplaça de quelques centimètres et donna le signal à Fran. Puis il lui demanda de répéter la manœuvre. Et encore, en tout une douzaine de fois, Kevin changeant de point de vue à chaque reprise.

Finalement, il sortit de sa cachette en frottant ses reins endoloris.

«Alors?» questionna Fran.

Kevin secoua la tête. «Rien. Les lames de la porte sont fixes, et du fait de leur inclinaison, il était impossible à David de voir le malfaiteur... ou même son ombre.»

25

La silhouette des arbres oscillait lentement sur le plafond faiblement éclairé par les lampes de jardin, que le vieux Mick s'obstinait à garder allumées toute la nuit, hiver comme été. Le feuillage de printemps avait fait sa timide apparition, mi-bourgeon, mi-ramure, projetant des ombres qui n'étaient plus les lugubres squelettes de l'hiver, mais pas encore les sereines frondaisons de l'été. Allongé sur le dos, Kevin avait depuis longtemps renoncé à trouver le sommeil. Sur le lit jumeau à côté de lui, David dormait sereinement, d'une respiration profonde et régulière. Et à travers la cloison qui séparait les deux chambres d'amis, un ronflement puissant révélait que Fran faisait de même.

Malgré l'abondance de vin bu durant le dîner – depuis que ses problèmes de foie lui interdisaient l'alcool, Mick n'était plus avare de sa cave –, Kevin mourait d'envie d'un verre de whisky, voire plusieurs. Mais il n'osait bouger, de peur de réveiller l'enfant qui, après une journée à s'ébattre sur la plage sous le regard attendri de sa grand-mère, avait bien besoin de repos.

L'inventaire s'était révélé plus rapide qu'il ne l'avait prévu. Brian et Georgia n'étaient pas des collectionneurs et encore moins des accumulateurs compulsifs, et s'ils avaient mené un train de vie confortable, ils n'avaient manifestement eu ni les moyens ni l'inclination d'investir dans l'art ou les bijoux. À part une série d'albums de rock en vinyle, parmi lesquels un exemplaire de *Forty Licks* dédicacé par Mick Jagger et Keith Richard, une vieille Omega Seamaster, une demi-douzaine de bagues et bracelets et une chaînette en or avec un pendant de perle grise, la maison de Garland Road ne contenait comme trésor que ceux attachés au souvenir : photos et vidéos, lettres et cartes postales, faire-part, diplômes et bibelots rapportés de vacances. Meubles, vaisselle et équipement électroménager étaient modernes, de bonne qualité, mais sans plus. Dans le garage se côtoyaient la Toyota Prius 2012 de Georgia et la vieille BMW 328i 1998 de Brian, une fraise à neige et une petite tondeuse à gazon électrique. Le tout sans surprise et bien entretenu.

Kevin avait pris en charge cette documentation filmée, s'appliquant à sa tâche avec un zèle qui lui avait permis de s'affranchir de l'oppression macabre qui l'avait assailli à leur arrivée. Ce qui ne l'avait pas empêché de ressentir, par moments, l'inconfortable sensation d'être un voyeur, particulièrement lorsqu'il lui avait fallu détailler le tiroir à lingerie de sa belle-sœur. Pendant ce temps, Fran avait continué à fureter à travers la maison, prenant çà et là des clichés et griffonnant des notes dans un calepin élimé, avant de faire de même à l'extérieur.

L'inventaire terminé, les deux amis avaient embarqué dans le pick-up les affaires de David : la table à dessin et son tabouret ajustable, le coffre à jouets renfermant sa précieuse collection de Lego, plusieurs cartons que Mick leur avait fournis et qu'ils avaient remplis de ses livres, CDs, posters et multiples babioles décorant sa chambre d'enfant, une valise contenant le restant de ses habits, son vélo BMX, son skate-board et son équipement de baseball. Peu après 17 heures, ils avaient repris la route de Gloucester, lui avec soulagement et elle l'esprit encombré de conjectures.

Kevin s'était promis de chasser cette visite de sa mémoire, et le temps radieux, ainsi que la conversation animée que

Fran et lui étaient parvenus à lancer, comme si de rien n'était, durant le repas, l'avaient aidé dans cette tâche. Louise avait préparé le plat favori de son petit-fils, un *chicken pot pie* qu'elle faisait à merveille, et s'était montrée chaleureuse envers Kevin. Ce nouveau deuil l'avait-il curieusement adoucie ou prenait-elle conscience que, ses filles disparues, son beau-fils était devenu, par le sang et par l'adoption, l'unique trait d'union reliant ses petits-enfants ? Alors qu'elle l'avait si longtemps traité avec le mépris réservé à un intrus, elle lui avait servi ce soir-là son meilleur vin blanc – un Chassagne-Montrachet 2010 exceptionnel –, et avait même fait l'effort de rire à ses plaisanteries, que David buvait comme du petit-lait. Même le vieux Mick s'était mis de la partie. Lui d'ordinaire si austère et renfrogné avait tenu une conversation enjouée avec Fran, qui l'avait régalé d'anecdotes piquantes sur son passé de shérif.

Mais avec le silence de la nuit, les images de la maison suppliciée lui étaient revenues, apportant avec elles des relents de mort qu'il pouvait presque sentir, comme il pouvait de nouveau entendre le craquement des os sous ses pieds. Les taches de sang noir, qui lui avaient inspiré tant de répulsion, n'étaient maintenant plus que la triste évocation des dernières secondes d'existence de Brian et Georgia. La peur de mourir avait dû pâlir face à l'épouvante d'abandonner leur enfant sans défense en proie au tueur, et au déchirement de ne pouvoir le serrer une dernière fois dans leurs bras.

Sans qu'il s'en aperçoive, des larmes se mirent à couler le long de ses joues. Il tendit instinctivement le bras à travers l'espace qui séparait les deux lits pour effleurer des doigts les cheveux de David. Le garçon grogna dans son sommeil et se retourna sans se réveiller.

À quoi ressemblait le meurtrier ? Il devait s'agir d'un homme ; Kevin ne pouvait imaginer une femme derrière cet abominable double meurtre. Avait-il été sous l'emprise de drogues, les yeux hagards et les tempes inondées de sueur, ou d'une soif de vengeance dévorante pour un affront inexpliqué ? Un professionnel détaché agissant sans passion ni remords, ou un dangereux pervers assouvissant son vice ? Son cœur avait-il martelé sa poitrine alors qu'il s'était approché de la porte de ses victimes ? Sa main avait-elle hésité lorsqu'il avait empoigné son revolver ? Ou avait-il conservé le calme du bourreau accomplissant sa tâche ?

Quels qu'aient pu être ses pulsions et états d'âme, l'inconnu avait su, lui, se servir sans hésitation de son arme.

PARTIE VI

26

Il avait trouvé l'enveloppe devant sa porte, dépassant à moitié du paillasson. C'était un magnifique matin de septembre et l'air, déjà chaud, sentait bon la lavande et l'eucalyptus. Kevin revenait d'avoir accompagné Nora à l'école et était seul, comme à l'habitude, Nicole s'étant rendue dès l'aube à son bureau. L'expéditeur du mot devait l'avoir prévu, vu le caractère confidentiel de celui-ci. Mais cela il ne le savait pas encore.

Probablement une invitation d'un voisin pour l'anniversaire de l'un de ses enfants, avait-il pensé en se penchant pour la ramasser. Il avait froncé les sourcils. L'enveloppe manille ne portait ni nom ni adresse et, de format lettre, était trop grande pour contenir l'habituelle carte brillamment illustrée de ballons et gâteau couvert de bougies. Le pli sous le bras, il avait inséré sa clé dans la serrure et poussé le panneau en teck de Birmanie. À l'intérieur, il faisait frais ; le thermostat maintenait la température à un plaisant vingt degrés. Il avait déposé son trousseau sur la console de l'entrée et s'était dirigé vers la cuisine. Après s'être servi une tasse de café, il s'était accoudé au comptoir et avait déchiré du doigt le sommet de l'enveloppe. Il en avait retiré une feuille dactylographiée pliée autour de deux photos 13 × 18 et une carte magnétique du type utilisé dans les hôtels.

Perplexe, il avait déplié la feuille, et son cœur avait sauté un battement. Inscrit en caractères gras de format Arial 16 points, le message était bref :

Si vous voulez voir de vos propres yeux ce que votre femme fait durant ses « conférences », rendez-vous ce soir à 23 heures au Star Value Inn, à Mountain View, chambre 24.

Quant aux photos, elles étaient accablantes. Manifestement prises de nuit à l'aide d'un téléobjectif puissant à travers la vitre et le voilage d'une chambre, elles étaient granuleuses, néanmoins suffisamment nettes pour que l'identification soit indisputable. La première représentait Nicole debout et complètement nue, embrassant passionnément sur la bouche un homme jeune et athlétique, aux cheveux bruns bouclés et à la beauté de mannequin, nu lui aussi. La seconde, Nicole allongée sur le dos, les genoux à demi repliés, et l'homme couché sur elle, entre ses jambes écartées.

Les mâchoires serrées, Kevin avait longuement contemplé les photos, ses yeux allant de l'une à l'autre inlassablement. Il n'avait pas voulu croire ce qu'il voyait, mais n'était pas parvenu à être surpris. Comme si une part de lui-même l'avait depuis longtemps sinon soupçonné, du moins secrètement pressenti. Moins une révélation qu'une confirmation.

Après un long moment, il avait délicatement remis les clichés, le message et la carte dans l'enveloppe et, ayant ouvert le cabinet à alcools, en avait retiré une bouteille de Jameson et un verre. Il avait bu deux shots coup sur coup avant de replacer le whisky dans le placard. Il n'avait pas voulu être ivre, pas avec Nora qu'il fallait aller chercher à l'école en début d'après-midi. Seulement engourdir sa souffrance et sa colère, pour ne pas sangloter – ou tout fracasser. Pas question de rajouter encore à l'humiliation qu'il ressentait en s'effondrant comme une loque ou en pétant les plombs comme un cocu déchaîné.

Le téléphone avait sonné. Il n'avait pas décroché. Après quelques sonneries, la voix de Nicole sur le répondeur lui avait annoncé qu'elle avait une conférence avec des financiers de Tokyo qui allait durer tard dans la nuit et lui avait demandé d'embrasser Nora très fort pour elle et de ne pas l'attendre pour se coucher.

«Bonne journée, Kev», avait-elle ajouté d'une voix indéfinissable avant de raccrocher.

Secouant la tête, il avait pris l'enveloppe avec dégoût et s'était rendu à pas lourds dans son bureau. Il s'était assis à sa table de travail et avait placé l'enveloppe devant lui, son contenu caché à son regard. Autour de lui, son univers familier, avec ses fauteuils, ses livres, son ordinateur et ses photos de famille dans leurs cadres en argent, lui était soudain devenu étranger. Comme un homme à qui son médecin venait d'annoncer qu'il était atteint d'une grave maladie, dont il avait désespérément voulu ignorer les symptômes, il avait eu le sentiment de ne plus s'appartenir.

Les heures s'étaient écoulées et il était resté là, sans bouger, insensible aux rayons de soleil qui lentement se déplaçaient sur le tapis. Il avait cessé de penser. Ou il avait tant pensé qu'il ne s'en était plus rendu compte. Affaissé dans son fauteuil, la tête inclinée en avant, il avait contemplé sa poitrine qui montait et descendait au rythme de sa respiration, va-et-vient mécanique et dérisoire qui le rattachait à la vie. Douleur, colère, confusion et honte s'étaient bousculés et mêlés dans son esprit pour ne plus devenir qu'un immense sentiment d'impuissance.

Les notes incongrument gaies de l'alarme de son BlackBerry l'avaient soustrait à sa torpeur. Il était temps d'aller chercher sa fille. Il s'était étiré en reniflant bruyamment et, après avoir déposé l'enveloppe dans un tiroir de son bureau, il s'était dirigé vers la porte et sa voiture. En chemin, il avait appelé Jeannie et lui avait demandé de venir s'occuper de Nora pour la soirée.

«Je devrais être de retour vers minuit et demi, ça ira?

— Pas de problème, Mr. O'Hagan, je réviserai mes cours de bio pendant qu'elle dormira.»

Une partie de lui-même aurait préféré qu'elle dise non.

Le reste de l'après-midi avait passé vite. De retour de l'école, Nora avait mangé son goûter en racontant les potins du jour à son père, qui l'avait ensuite aidée à faire ses devoirs. Après avoir joué dans le jardin, elle avait regardé des dessins animés pendant que Kevin préparait le repas. Ils avaient mangé sur la terrasse, entourés par le gazouillis des oiseaux. Jeannie était arrivée à 19 h 30 et avait dévoré une assiette que Kevin avait préparée pour elle pendant que, dans la chambre aux murs roses et bleus, il racontait une aventure de Mina à Nora. Il avait embrassé sa fille et, comme à son habitude, elle avait frotté le bout de son nez au sien, avant de le serrer fort dans ses petits bras et de lui chuchoter à l'oreille: «Bonne nuit, mon papa chéri.»

S'assurant que Jeannie était installée dans le salon avec le babyphone allumé à ses côtés, il s'était rendu dans son bureau. Il avait hésité, puis, après avoir sorti son trousseau de clés de sa poche, avait déverrouillé l'un des tiroirs de la crédence qui trônait derrière sa table de travail et en avait retiré le vieux Colt de service de son père. À la mort de ce dernier, il avait hérité du légendaire pistolet et le gardait plus comme souvenir que pour un but sportif ou d'autodéfense, même s'il allait occasionnellement s'entraîner au stand de tir local. Le magasin n'en était pas moins chargé et, tirant d'un coup sec sur la culasse, il avait chambré une cartouche avant de glisser l'arme dans sa ceinture sous sa veste. Il avait ensuite retiré la carte magnétique de l'enveloppe reçue le matin et vérifié le nom de l'hôtel et le numéro de chambre avant de quitter la pièce.

Il était 20 h 15 lorsqu'il s'était retrouvé au volant de sa voiture. Sans trop savoir quoi faire de son temps jusqu'à 23 heures, il avait longuement erré sans but précis, empruntant des rues qu'il ne connaissait pas, humant malgré lui les parfums de jasmin de nuit et de gingembre sauvage qui lui parvenaient de sa fenêtre grande ouverte. Au début, la bosse du pistolet dans le creux de ses reins l'avait dérangé, mais il n'avait pas voulu le mettre dans la boîte à gants de peur de l'oublier, et après un moment il ne s'en était plus aperçu.

Parvenu à Los Altos, il s'était arrêté devant une cantina sur State Street et avait commandé une Dos Equis et un shot de Herradura. Et il avait attendu. Sa bière finie, il en avait commandé une autre, ainsi qu'un plat de nachos, qu'il avait grignotés plus pour s'occuper que par appétit. Ne prêtant attention ni aux autres convives ni à leurs conversations, il avait inlassablement tourné et retourné dans sa tête le contenu du message anonyme, comme un mantra.

À 22 h 45, il était de retour dans sa voiture, en route pour Mountain View, et avait atteint le Star Value Inn moins de dix minutes plus tard. Préférant ne pas se parquer sur l'aire de stationnement de l'hôtel, il s'était garé à quelques pas de là, le long d'El Camino Real.

Le reste s'était déroulé comme dans un rêve. Un mauvais rêve.

Plus tard, il se souviendrait à peine d'avoir verrouillé la portière de sa voiture, traversé le trottoir et le parking de l'hôtel, puis après avoir escaladé quatre à quatre l'escalier extérieur menant au second étage, de s'être retrouvé devant la porte de la chambre 24. Les mains moites, il avait inséré la carte magnétique dans la fente de la serrure, priant qu'elle ne fonctionne pas, qu'il se fût agi d'un canular. Mais un léger déclic et un voyant vert au-dessus de la poignée avaient indiqué le contraire. Délicatement, il avait ouvert la porte sur un petit salon plongé dans les semi-ténèbres. Seule la lumière des lampadaires filtrant à travers les rideaux de la fenêtre éclairait faiblement un meuble console surmonté d'un large écran de télévision, un sofa, une table basse et deux fauteuils – le mobilier banal de tous les hôtels de ce genre.

La porte menant à la chambre à coucher était entrouverte et il avait été réassuré qu'aucun son ni lumière n'en provienne. Saisissant le pistolet et le tenant à bras tendu pointé vers le sol, il avait fait un pas en avant, puis un second et un autre encore. Il s'était arrêté sur le seuil de la pièce, et ses yeux, qui s'étaient acclimatés à la pénombre, avaient discerné deux formes nues allongées sur le lit, à moitié couvertes par les draps défaits. Il avait reconnu le jeune homme brun et beau de la photo et, à ses côtés, Nicole. Tous deux étaient endormis.

Des larmes de rage et de frustration lui étaient montées aux yeux, brouillant sa vue et le forçant à cligner plusieurs fois des paupières. S'approchant silencieusement du lit, il avait lentement pointé son arme sur les amants endormis.

Ce qui avait suivi, il ne saurait jamais s'il l'avait vécu ou imaginé. Alors que son doigt effleurait la détente, Nicole avait entrouvert les yeux et l'avait regardé l'espace d'un bref instant. Il avait cru voir sur son visage, non pas de la surprise ou de la peur, mais une grande tristesse et aussi de la pitié. Comme si elle savait qu'il ne tirerait pas et regrettait ce nouvel échec. Aussi soudainement qu'elle les avait ouverts, elle avait refermé les yeux et s'était rendormie. Ou peut-être ne s'était-elle jamais réveillée.

Kevin était resté un long moment debout, l'arme pointée, la respiration courte. Puis il avait lentement baissé son bras et fait demi-tour, repartant sans bruit de la même façon qu'il était venu. Ses jambes chancelaient un peu lorsqu'il avait dévalé les escaliers et ça n'avait été qu'en arrivant à sa voiture qu'il s'était rendu compte qu'il tenait toujours son pistolet. Le jetant sur le siège du passager, il avait essuyé du revers de sa manche la sueur qui coulait sur son front et avait démarré en trombe.

Sur le chemin du retour, il avait vainement tenté de faire de l'ordre dans son esprit en pagaille. Nicole l'avait-elle réellement regardé ou avait-il eu une hallucination ? Et qui pouvait bien lui avoir envoyé le message et les photos ? Un rival qui voulait lui nuire ? Dieu sait qu'elle en avait. Mais Nicole était bien trop rusée pour se laisser prendre bêtement en flagrant délit d'adultère par le premier détective privé venu. Plus il revisitait les événements de la journée, plus il en arrivait à la même conclusion. Et alors que sa voiture s'était engagée sur le gravier de leur allée, il avait acquis la quasi-conviction que c'était Nicole qui avait tout manigancé. Pour le provoquer ? Le tester ? Peut-être lui donner une chance d'agir en homme ?

Savait-elle seulement qu'il ne s'était pas rendu à l'hôtel pour se venger de son amant, mais pour la tuer, elle ?

27

Dans le Vermont, le printemps tardif, comme s'il voulait rattraper le temps perdu avant les gelées précoces de l'automne, déboulait comme un taureau piqué par une guêpe. Là où quelques jours auparavant il n'y avait que boue, branches dénudées et herbe brûlée par la neige, s'étendaient à perte de vue fleurs multicolores, feuillages luxuriants et luzerne grasse au milieu d'une explosion de pollen et de nuages d'insectes affamés. En bordure du quarante-cinquième parallèle, la nature savait qu'elle devait faire vite si elle voulait se nourrir et procréer. Il en allait de même des gens qui semblaient soudain sortir de leur torpeur hivernale et retrouver un sourire qu'ils avaient laissé au vestiaire avec les premiers frimas.

Pour Fran, c'était aussi l'époque des allergies, et elle ne sortait pas sans se munir de son inhalateur. Ce qui ne l'empêchait pas de faire son jogging matinal quotidien, à 4 h 30 pour éviter l'augmentation du taux de pollen qui venait avec l'aube.

Sirotant un thé vert fumant derrière ses fenêtres soigneusement fermées, elle regardait un lapin en quête de nourriture dans un coin du jardin, sa queue blanche disparaissant et réapparaissant parmi les herbes au gré de ses trouvailles.

« Toi, mon lapineau, tu ferais moins le malin si c'était la saison de la chasse », dit-elle sur un ton menaçant. Seule durant la journée, quand Edna donnait ses cours, Fran avait pris l'habitude de parler à voix haute, aux arbres, aux animaux et à elle-même. Ça n'était pas de la sénilité précoce, mais une façon de se détendre et de faire face au silence des jours. Elle qui durant toute sa carrière avait été entourée du bourdonnement constant de son bureau de shérif peinait à s'habituer au calme et au silence de la retraite. Peut-être était-ce autant pour cette raison que par amitié pour Kevin qu'elle s'était si fortement intéressée au double meurtre des parents de David. Au début néanmoins. Mais plus ses recherches avaient progressé – par pudeur, elle se refusait à parler d'enquête – et plus son instinct l'avait poussée vers l'avant. Et même si elle ne voulait pas l'admettre, cette affaire la rendait soucieuse.

Elle s'étira et retourna s'asseoir devant la pile de documents qui recouvraient son bureau, contemplant le désordre avec satisfaction. Ça, au moins, ça n'avait pas changé. Saisissant une liasse de photos, elle les passa une fois de plus en revue.

Lors de leur visite de la maison de Garland Road, deux semaines auparavant, elle avait remarqué un détail qui avait échappé aussi bien à l'oncle de David qu'aux inspecteurs de la police de Newton. Après l'expérimentation de Kevin dans la penderie du gamin, Fran avait attentivement inspecté sa chambre, puis s'était dirigée vers la fenêtre. Elle avait ouvert les rideaux et avait longuement contemplé la vue qui lui était offerte. Celle-ci n'avait rien d'exceptionnel. La chambre était située à l'arrière de la maison et la fenêtre donnait sur le petit jardin où trônait une aire de jeux en bois complète avec balançoires, cabane et toboggan. Un chien avait dû vivre à cette adresse par le passé car le terrain était entouré d'une haute palissade en cèdre, vermoulue par endroits. Sur la gauche du jardin, celle-ci était longée par une étroite bordure de gazon et l'allée en asphalte de la propriété voisine, qui menait de la rue à un garage détaché pour deux voitures. Fran avait été sur le point d'aller rejoindre Kevin pour explorer le reste des lieux lorsque, du coin de l'œil, elle avait aperçu un objet incongru. Posée à quelques mètres du garage sur l'herbe entre l'allée et la palissade, se dressait une vieille chaise de jardin.

Quel endroit bizarre pour prendre le frais, avait-elle songé en dévalant prestement les escaliers. En quelques enjambées, Fran s'était retrouvée sur le trottoir en face de la maison voisine. À en juger par la pancarte « À vendre » plantée au bord du trottoir et les volets fermés aux fenêtres, la demeure était inoccupée. En fait, comme elle l'avait appris plus tard en appelant la régie immobilière dont le nom figurait sur la pancarte, elle était vide depuis octobre dernier. Après avoir pris quelques photos, Fran s'était avancée le long de l'allée. Arrivée à hauteur de la chaise, une vieille chose en fer forgé à la peinture verte écaillée, elle s'était retournée et avait regardé en direction de la maison de David. Malgré son mètre quatre-vingt-deux, elle n'était parvenue à voir que le toit qui dépassait au-dessus de la clôture. Mais une fois grimpée sur la chaise, elle avait eu une vue directe sur la façade et en particulier, droit devant elle, la fenêtre de la chambre de David.

Non loin, dans le jardin de la maison à vendre, Fran avait découvert une table, en fer forgé elle aussi, et trois chaises assorties à celle de l'allée. Dès lors, il n'avait plus subsisté de doute dans son esprit. Quelqu'un avait traîné cette chaise jusqu'à la palissade pour pouvoir observer la maison des Gallagher.

Et depuis la veille, elle était convaincue que cet inconnu et l'ombre que David semblait tant redouter ne faisaient qu'un. Vers la fin de l'après-midi, elle avait en effet reçu un coup de téléphone de Jim Malone. La recherche sur le CODIS avait enfin produit un résultat.

« Vous avez pu identifier le coupable ? avait-elle demandé en tentant de cacher son excitation.

— Malheureusement pas, avait répondu Jim d'une voix lasse, mais son empreinte génétique a été retrouvée sur une autre scène de crime, datant d'il y a presque trois ans.

— Également une invasion de domicile ? »

Il y avait eu une pause à l'autre bout de la ligne.

« Non. L'ADN en question a été prélevé dans du sperme retrouvé sur le corps d'un enfant de neuf ans qui avait été enlevé, violé à de multiples reprises, puis étranglé avant d'être abandonné nu dans un bois. »

Bien que Fran s'y fût partiellement attendue, la nouvelle lui avait fait l'effet d'une douche froide.

« Où cela s'est-il passé ?

— La victime habitait Rocky Hill, dans le Connecticut. Son père travaille à Hartford pour Aetna et sa mère enseigne l'espagnol à Rocky Hill High School, où sa sœur est maintenant en première.

— Pas d'autre résultat dans le CODIS ?

— C'est le seul. Mais tu sais aussi bien que moi que cela ne veut pas dire grand-chose. La base de données n'a guère plus de vingt ans et comporte de sérieuses lacunes. Et puis le matériel génétique récupéré sur les lieux est souvent trop dégradé pour être utile.

— Sans oublier, avait ajouté Fran d'un ton désabusé, que les criminels regardent eux aussi les séries policières à la télé et ont appris à ne pas laisser de traces derrière eux. Jim, peux-tu m'envoyer par e-mail le dossier de ce gosse ?

— Je ne peux rien te refuser, Frannie. Crois-tu que l'on ait affaire à un criminel en série ?

— Je n'en suis pas sûre, peut-être. Cela expliquerait que rien n'ait été volé dans la maison de Garland Road. »

Et si c'était le cas, pensa-t-elle, *David Gallagher était-il toujours en danger ?*

28

Elle avait eu le temps de prendre une douche et de se changer avant que Kevin ne sonne à la porte.

«Hello Kev, dit-elle en ouvrant, l'air soucieux. Merci d'être venu.» Elle l'avait appelé une heure plus tôt, sans préciser la raison pour laquelle elle voulait qu'il la retrouve chez elle.

«Tu as du nouveau?» s'enquit-il avec une pointe d'inquiétude.

Fran n'avait pas pour habitude de recevoir, même ses plus proches amis, chez elle lorsque Edna n'était pas présente. «Elle a peur que je la trompe dans notre lit conjugal, plaisantait-elle invariablement en guise d'explication. Ou pire, sur son sofa bien-aimé.» Mais Kevin savait bien que la raison en était tout autre, car Edna et Fran étaient le couple le plus uni et aimant qu'il ait connu, et leur complicité ne laissait aucune place à la jalousie, et encore moins à l'infidélité. Il s'agissait tout au contraire d'une volonté farouche de préserver une intimité que les deux femmes avaient dû, comme tant d'autres couples gay, défendre contre préjudices, quolibets et menaces, et d'éviter toute situation qui pourrait prêter à confusion et nourrir la rumeur. Car même si le Vermont était depuis toujours l'un des États de l'Union les plus avancés en matière sociale, et le quatrième à avoir légalisé le mariage homosexuel en 2009 six ans avant qu'il ne soit garanti par le droit fédéral, les mentalités n'avaient pas changé du jour au lendemain, et une partie de la population, spécialement dans le nord-est de l'État, demeurait à ce jour retranchée dans des principes profondément conservateurs et intransigeants. Il n'avait déjà pas été facile pour Fran de devenir la première femme shérif d'un comté du Green Mountain State, mais y être parvenue en étant ouvertement gay avait à l'époque relevé d'une véritable gageure, et témoignait autant de ses hautes qualités professionnelles que de la ténacité et de la discrétion des deux femmes.

Kevin était à la fois reconnaissant de la confiance qui lui était ainsi faite et conscient que seul un événement d'une grande importance pouvait avoir suscité une telle invitation.

Elle hocha la tête. « Viens avec moi. »

Kevin n'était jamais allé dans le bureau de Fran et fut surpris de le trouver fort semblable au sien : une table en bois massif et aux solides tiroirs, des rayons de bibliothèque remplis à ras bord de livres, deux fauteuils en cuir et, touche personnelle, une table basse surmontée d'une carafe en cristal taillé pleine d'un liquide ambré et une demi-douzaine de verres assortis.

« Scotch ? proposa-t-elle, en indiquant le flacon du menton.

— Non merci. Un peu tôt, même pour moi. »

Fran s'installa derrière son bureau tandis que Kevin prenait place dans l'un des fauteuils lui faisant face.

— Si je t'ai demandé de venir c'est parce que je dispose ici de documents que je préfère garder en lieu sûr.

Après lui avoir tendu les photos qu'elle avait prises lors de leur visite à Newton, elle lui expliqua sa découverte de la chaise stratégiquement placée en bordure de la palissade et les conclusions qu'elle en avait tirées. Examinant chaque cliché, Kevin l'écouta attentivement. Quand elle eut fini, il secoua la tête.

« J'étais là et je n'ai rien remarqué !

Fran sourit.

« C'est normal, tu avais tant de choses à l'esprit. En revanche, cela m'étonne plus de la part des enquêteurs. C'est leur boulot de prendre note de détails comme celui-ci.

— Tu penses donc que le malfaiteur en voulait à David ? Mais pourquoi ? » Il avait posé cette dernière question tout en en connaissant la réponse, tant elle était évidente.

Fran ignora son interrogation, préférant lui relater sa conversation de la veille avec Jim Malone.

Cette fois, Kevin eut du mal à conserver son calme.

« Pourriture de pédophile ! s'écria-t-il en tapant du poing sur l'accoudoir du fauteuil. Si je le tenais, je lui arracherais les couilles et les lui ferais bouffer ! Pas étonnant que le pauvre gosse ait peur des ombres. Il a dû l'apercevoir en train de lorgner par-dessus la barrière.

— Sans doute, et il est possible qu'il l'ait déjà remarqué avant cela, à la sortie de l'école, en bordure d'une aire de jeux, d'un terrain de sport ou dans un magasin de jouets, endroits riches en victimes potentielles pour ce genre de psychopathes. Certains agissent sur impulsion, s'attaquant à une cible d'opportunité. D'autres sont plus méthodiques et prennent leur temps. Ils choisissent soigneusement leur proie et la pistent patiemment, au risque de la perdre parfois, créant dans leur esprit une sorte de relation chimérique avec elle, dont ils jouissent durant des jours, voire des semaines ou des mois avant de passer à l'acte.

— Il y a en effet peu de chances que ce cinglé se soit trouvé par hasard dans l'allée de cette maison inhabitée, remarqua Kevin.

— D'autant plus qu'il semble avoir un type particulier, auquel le pauvre David aurait eu la malchance de correspondre singulièrement. »

Elle ouvrit la chemise d'un dossier placé devant elle.

« À ma demande, Jim m'a envoyé une copie du rapport d'enquête de l'autre victime identifiée par le CODIS. Je ne peux pas te laisser le consulter, car ce sont des documents confidentiels. Je tiens également à t'en épargner la lecture, trop éprouvante. Mais je voudrais que tu examines la photo de la victime. Rassure-toi, il ne s'agit pas d'une de celles prises post-mortem, mais d'un portrait utilisé pour les recherches après la disparition de l'enfant. »

Kevin prit la photo que Fran lui tendait et eut un choc en la regardant.

Les cheveux étaient plus roux et plus courts que ceux de David, sinon c'étaient les mêmes yeux vert foncé au milieu d'un visage semblablement pâle et parsemé de taches de rousseur.

Il sentit son petit déjeuner lui remonter dans la gorge. Même sans en connaître les détails, le destin tragique de ce pauvre garçon lui retournait l'estomac.

« Quand je pense que David a failli… » Il s'étrangla. Il était désormais clair à ses yeux que Georgia et Brian étaient morts en tentant de protéger leur fils d'un prédateur. Et sans l'intervention inespérée d'une vieille voisine, leur sacrifice aurait été inutile.

Il serra les poings, enfonçant ses ongles dans la paume de ses mains pour ne pas crier. « Je dois mettre David en sûreté. L'emmener loin d'ici, en Californie par exemple, hors d'atteinte de ce malade meurtrier. »

Fran se leva et, contournant son bureau, reprit la photo des doigts de Kevin. « Ça n'est pas le moment de paniquer, dit-elle en posant une main rassurante sur l'épaule de son ami, ou de prendre des décisions inconsidérées.

— Inconsidérées ? explosa Kevin en se levant d'un coup. Pour autant que l'on sache, ce salopard pourrait être en train de surveiller ma baraque à l'instant même. Ne serait-ce d'ailleurs pas lui que David aurait aperçu à l'orée de mon bois il y a quelques semaines ? »

Fran se dirigea vers la table basse et, après avoir versé une généreuse rasade de scotch dans deux des verres, en tendit un à son ami. «Bois. Tôt ou pas, ça te remettra les idées en place.»

Les deux amis burent en silence. Fran laissa l'effet apaisant de l'alcool se répandre dans son corps avant de reprendre la parole.

«Regardons les choses en face, Kev. Tout d'abord, même si Malone, comme moi, pense que nous avons affaire à un tueur pédophile en série qui aurait jeté son dévolu sur David, ce que les indices dont nous disposons semblent indiquer, nous n'en avons pas la preuve formelle. Certains de ces criminels commettent des cambriolages qui leur permettent de financer leur vice et de vivre dans l'anonymat. Peut-être observait-il la maison afin de déterminer le meilleur moment pour passer à l'action et non pas par intérêt pour l'un de ses habitants.»

Kevin ouvrit la bouche pour protester mais Fran l'arrêta d'un geste de la main.

«Je sais, continua-t-elle sur le même ton calme, c'est peu probable, mais à ce point de l'enquête, nous n'avons aucune certitude. N'oublions pas que ces individus sont avant tout des malades, souvent très intelligents mais pas toujours rationnels. Et si cela peut te rassurer, Malone prend les choses très au sérieux. Il m'a confirmé avoir demandé l'assistance de deux sections du FBI spécialisées dans les meurtres en série et les crimes à l'égard d'enfants, le BAU, l'Unité d'analyse comportementale, et le CASMIRC, le Centre de ressource d'enquête sur l'enlèvement d'enfants et le meurtre en série. Il a aussi entamé des recherches dans la base de données de ViCAP, le Programme d'arrestation des criminels violents. Sans être parfaites, ce sont des ressources considérables et qui ont fait leurs preuves. Il m'a également permis d'agir comme consultante sur l'affaire, ce qui me donne accès à leurs sources d'information. On finira par pincer ce type, fais-moi confiance.

« Peut-être, mais quand ? Et à quel prix ? Je ne veux pas risquer la vie de David pendant que la police suit des pistes qui peuvent ne jamais aboutir. Combien y a-t-il de crimes non résolus dans ViCAP ?

Fran hocha la tête.

« Trop, en effet.

— Je ne peux me permettre d'attendre sans rien faire, Fran. C'est trop risqué.

— Je te comprends parfaitement. Mais sache que les criminels en série ont tendance à changer de cible lorsqu'ils en manquent une. Généralement d'une intelligence au-dessus de la moyenne, ce qui contribue à les rendre difficiles à attraper, ils savent qu'une proie sur ses gardes, et potentiellement sous surveillance de la police, représente un risque qu'ils ne peuvent se permettre de courir. Obsédés ou pas, ils sont assez malins pour ne pas insister et souvent changent de lieu d'opération après chaque tentative, réussie ou non. Tu noteras d'ailleurs que le crime précédent fut commis dans le Connecticut et à plus de cent miles de Newton. Pour l'instant, nous ignorons s'il y en a eu d'autres entre les deux, ou même avant le premier, mais c'est très probable que ce soit le cas et sur une vaste étendue géographique. N'oublie pas que Ted Bundy, qui vit le jour tout près d'ici à Burlington, confessa avoir commis trente meurtres entre 1974 et 1978 dans sept États différents, de Washington à la Californie et de l'Utah à la Floride. Et l'on soupçonne qu'il en a perpétré d'autres sur une bien plus longue période. Le fait même qu'à ce jour l'on ne connaisse toujours pas le nombre exact de ses méfaits illustre clairement l'habileté de ce genre de tueurs. Il me semble donc hautement improbable que notre homme ait suivi David jusqu'ici, avec les autorités du Massachusetts sur le branle-bas de combat.

— Justement, interjeta Kevin, loin d'être convaincu, en venant dans le Vermont, il ferait d'une pierre deux coups, s'éloigner du théâtre de son dernier crime et se rapprocher de sa proie. »

Fran se reversa un verre de scotch et le vida d'un trait, signe de tension peu commun chez elle.

« S'il est assez rusé pour ne pas s'être fait prendre jusqu'ici, il doit savoir que les forces de l'ordre locales ont été mises au courant de l'affaire. En mars dernier, j'avais d'ailleurs personnellement prévenu mes anciens confrères de l'arrivée de David dans notre région. Depuis lors, ils gardent un œil aux aguets pour surveiller toute personne ou activité suspecte, ce qui est plus facile dans une petite communauté comme la nôtre que dans l'agglomération de Boston.

— Je me sentirais quand même plus en sécurité sur la côte Ouest.

— Mais sans raison. Car si le meurtrier vous avait bel et bien suivis jusqu'ici, qu'est-ce qui l'empêcherait de vous traquer jusqu'en Californie ? Il ne semble pas avoir de grands besoins d'argent, sinon il se serait emparé des objets de valeur de Georgia et Brian. Qui plus est, as-tu songé à l'impact qu'un nouveau déménagement aurait sur ton neveu ?

— Que veux-tu dire ? demanda Kevin, surpris.

— Que de ton propre aveu, David se sent bien chez toi, qu'il s'est intégré harmonieusement dans son école, s'y est fait des amis et aime la région. Cela lui a permis de surmonter, du moins partiellement, l'affreux traumatisme causé par la mort de ses parents. Le déraciner de nouveau, sur une distance de pas moins de trois mille miles, ne risquerait-il pas de le déstabiliser ? De faire resurgir en lui les démons dont il s'efforce de se débarrasser ? D'autant plus qu'il te faudrait justifier un déménagement d'une telle ampleur et si subit à quelques semaines de la fin de l'année scolaire. Lui qui déjà dessine des ombres menaçantes dans ses cahiers, quelle va être sa réaction quand tu lui diras que vous partez dans l'espoir de le dérober aux griffes d'un tueur pédophile à l'affût ? Et au moins ici, je connais tous les flics. Ils me font des faveurs. Ils m'écoutent et me tiennent au courant.

— Vu sous cet angle… Ce que tu dis a du sens. »

Fran sourit.

« Ça m'arrive dans mes bons jours. »

Il finit son verre et elle le raccompagna jusqu'à la porte.

« Votre sécurité est ma priorité absolue. Je vais contacter la police locale et le shérif du comté pour les informer de la tournure de l'enquête. Crois-moi, ils n'ont aucune envie que quelque chose d'aussi affreux se produise sur leur territoire. »

Kevin la serra dans ses bras.

« Merci, Fran, je te suis infiniment reconnaissant.

— Tu ferais la même chose pour Edna et moi », répondit-elle avec un petit haussement d'épaules.

Il était presque parvenu à son véhicule quand elle lui lança :

« Kev, garde quand même ton flingue à portée de main, juste au cas où. Promets seulement de ne pas t'en servir contre toi. »

29

Sous un ciel bleu cru, prairies et collines s'étendaient à perte de vue en une effervescence de vert nouveau. Il faisait chaud, mais au volant de sa voiture Kevin ne pouvait se résoudre à mettre en route la climatisation, tant il avait rêvé de douceur estivale durant les interminables mois d'hiver. Et même s'il ne goûtait guère les relents de lisier fraîchement épandu, il refusait de fermer sa vitre.

La discussion qu'il venait d'avoir avec Fran l'avait fortement ébranlé. Lui qui, trois mois auparavant, ne pensait qu'à en finir avec l'existence, quitte à priver Nora de son père, et ne pouvait rien voir au-delà de sa propre souffrance, patiemment cultivée comme une vilaine fleur au fil des années, se sentait maintenant traqué par la mort. Pas la sienne, mais celle des autres, ceux qu'il aimait.

Pendant quinze interminables années, il avait vécu l'agonie du deuil de Nicole. Puis étaient survenus les meurtres de Georgia et Brian. Maintenant, cette menace – non seulement de mort, mais d'innommables sévices – venait peser sur la tête du pauvre David. Au moment précis où Kevin commençait à retrouver, sinon une paix intérieure, du moins une ébauche de raison de vivre. Alors qu'il s'était cru incapable d'affection, que même l'amour qu'il éprouvait pour sa fille s'était mué avec la maturité de celle-ci en distante admiration et fierté, il s'était à sa grande surprise profondément attaché à ce neveu qu'il avait jusque-là à peine connu. Et il avait peur. Peur de cette souffrance qu'il connaissait bien et qui l'avait si longtemps rongé. Car avec l'amour vient la crainte, la crainte viscérale et irraisonnée de perdre l'être que l'on aime, de ne pouvoir le protéger contre les horreurs de l'existence et l'implacabilité du destin.

Bis repetita placent[1], pensa-t-il en secouant la tête, dépité.

Il passa sur sa droite la route qui menait à son ancienne high school. Les choses avaient bien changé depuis l'époque où, en saison, lui, Fran et nombre de leurs camarades se rendaient en classe avec leur carabine chargée sur le siège arrière de leur voiture, pour aller chasser dès la sortie des cours. Il y avait toutes sortes de règles et procédures à présent. Ce qui en l'occurrence n'était pas une mauvaise chose. Au moins David était-il en relative sécurité dans son école, avec ses accès et corridors surveillés par des caméras en circuit fermé et ses portes verrouillées pendant les heures de cours. De même, il y avait peu de risques d'incidents dans les bus scolaires, dont les conducteurs étaient entraînés à répondre à toutes sortes d'urgences. Quant à sa propre maison, elle était équipée d'un système de sécurité que le propriétaire précédant avait fait installer et que Kevin avait réactivé lorsque l'enfant était venu vivre avec lui. Il décida cependant de ne plus laisser David seul avec une baby-sitter pour le moment. Et se remémorant la recommandation de Fran, il décida de réaliser un détour avant de rentrer.

Sur Shelburne Road, il s'arrêta pour faire le plein à Dattilio's Guns and Tackle. Pendant que la pompe besognait bruyamment, il se rendit à l'intérieur et acheta une bouteille de Gatorade et une boîte de cinquante balles à pointe creuse Winchester .45 ACP Ranger T-Series.

---

1. Littéralement, « les choses répétées deux fois sont plaisantes ». Par extension, « on prend les mêmes et on recommence ».

Deux peuvent jouer à ce petit jeu, mon salaud, si jamais je t'ai en face de moi, pensa-t-il en empochant la boîte.

De retour chez lui, il se prépara un sandwich qu'il avala, accompagné d'une bière, en lisant le long e-mail que Nora venait de lui envoyer. Les examens de fin d'année approchaient et elle était surchargée de travail, mais heureuse, car elle adorait ce qu'elle faisait et avait une soif inextinguible d'apprendre. Elle avait quitté son boyfriend, qui était devenu trop encombrant, et apparemment ne s'en trouvait pas plus mal, appréciant d'être à nouveau célibataire. Kevin secoua la tête en souriant. Celui qui réussira à épouser sa fille aura besoin d'une sacrée force de caractère.

Son repas fini, il retira de l'un des placards de la cuisine une boîte en bois élimée par le temps et l'usage et se rendit dans son bureau. Il posa la boîte et le carton de munitions sur sa table de travail, récupéra son pistolet du coffre dans lequel il l'avait enfermé le jour de l'arrivée de David et s'assit. Après avoir enlevé le chargeur, il actionna la culasse et vérifia qu'il n'y avait pas de cartouche chambrée. Puis, avec les gestes rapides et précis qu'encore enfant il avait appris de son père, il désassembla le Colt : en s'aidant du coin du chargeur, il pressa le bouchon du ressort de rappel et, du pouce, tourna la bague du canon d'un quart de tour vers lui pour extraire ressort et bouchon, puis rabattit la bague de canon d'un demi-tour en sens opposé pour libérer celle-ci ; il fit ensuite glisser la culasse en arrière et, après avoir aligné l'encoche d'extraction de l'arrêtoir de culasse avec le sommet de celui-ci, retira l'arrêtoir de culasse ; finalement, ramenant la culasse en avant et la désengageant de la carcasse, il libéra le guide du ressort de rappel et le canon de la culasse. Le tout lui prit moins de vingt secondes.

Il contempla avec satisfaction les pièces de son arme disposées avec soin devant lui. Puis il ouvrit le vieux coffret en bois, révélant, engoncés dans leurs niches doublées de

velours rouge fané, deux tiges de nettoyage et leurs atta-
chements, un assortiment de brosses métalliques, plusieurs
burettes contenant solvants et huile, un chiffon doux et un
paquet de patchs de nettoyage. Durant la demi-heure qui
suivit, il nettoya et huila méticuleusement chaque pièce de
son Colt. Puis, après s'être assuré qu'aucun débris de chiffon
ou poil de brosse n'était resté coincé dans l'une ou l'autre
d'entre elles et avoir soigneusement essuyé tout excédent
d'huile, il réassembla le pistolet.

Avant de réinsérer le chargeur dans la crosse, il remplaça
les balles blindées qui s'y trouvaient par les Winchester
Ranger à pointe creuse. Fouillant dans les tiroirs de son
bureau, il mit la main sur un second chargeur vide et le garnit
également de sept balles expansives.

Il n'était que trop conscient du caractère largement illusoire de ces précautions. Si réellement le criminel les avait
localisés et était déterminé à kidnapper David, il était plus
que probable qu'il choisirait un lieu et un moment où l'enfant
serait seul et vulnérable pour agir, surtout après son coup
manqué de Newton. Mais incapable de supporter l'inaction face au danger, réel ou imaginé, Kevin avait besoin de
prendre des mesures et de se préparer du mieux qu'il pouvait.
Pour calmer ses nerfs et se sentir utile. Comme il le faisait
jadis, en Californie, lorsqu'il renouvelait régulièrement les
provisions familiales d'eau et de nourriture et restockait la
volumineuse trousse d'urgence en cas de tremblements de
terre, et conservait documents originaux et copies de photos
dans un coffre ignifugé en cas d'incendie.

Après avoir engagé une cartouche dans la chambre de tir
et mis le cran de sûreté, il se leva et, le Colt dans une main,
le chargeur de rechange et le paquet de balles dans l'autre,
se dirigea vers le salon. Cherchant du regard un endroit
à portée de main pour lui, mais hors d'atteinte pour David,
où cacher arme et munitions, il opta pour le dernier rayon

de la bibliothèque, derrière un cadre en acajou contenant un portrait de Nicole. Il se promit également de ne jamais monter se coucher sans emporter le pistolet et le placer dans le tiroir de sa table de nuit.

C'était loin d'être parfait, mais mieux que de se contenter de ses poings, comme Brian et Georgia.

PARTIE VII

30

Depuis la sordide nuit à l'hôtel, Nicole n'était jamais rentrée du bureau après 23 heures. Et si d'aventure elle devait réellement participer à une conférence tard le soir – ce qui n'était pas rare lors de transactions avec des sociétés basées en Extrême-Orient ou en Europe –, elle le faisait sur Skype depuis la maison. Et puis il y avait eu ces petites touches de presque affection qui étaient réapparues dans son comportement. Un regard, un sourire, une main fugitivement posée sur son épaule, comme des fenêtres sur le passé qu'elle refermait aussi rapidement qu'elle les avait entrouvertes. On aurait dit que la Nicole des premiers jours tentait, comme une femme qui se noie, de remonter à la surface, mais n'avait pas la force ou la volonté de s'y maintenir.

C'était à la fois touchant et pathétique, car Kevin avait appris depuis longtemps que cette Nicole-là – celle du premier verre de vin blanc en tête à tête, de la première étreinte et du premier lever de soleil – n'était qu'une projection éphémère et illusoire des désirs de bonheur simple qu'elle était, au tréfonds d'elle-même, incapable d'atteindre. Nicole n'était pas différente de ces chevaux de course qui ne vivent que pour la vitesse et la victoire, et dépérissent une fois leur carrière terminée. Leur faute à tous deux avait été de croire qu'il pouvait en être autrement.

Elle avait aussi pris l'habitude d'appeler Kevin depuis sa voiture lorsqu'elle était sur le chemin du retour, comme pour lui prouver sa bonne foi. Bien sûr, rien ne l'aurait empêchée de revoir le jeune homme brun, ou un autre, durant la journée, Kevin n'ayant aucune intention de la faire suivre. Mais il sentait plus qu'il ne savait que ce n'était pas le cas. Prenait-il ses désirs pour des réalités ? Peut-être.

Avait-elle commis cet adultère pour assouvir un besoin physique ? Combler un manque émotionnel ? Et si elle était l'auteur du message que Kevin avait reçu, par ce stratagème pervers, n'avait-elle pas cherché à faire jaillir l'époux passionné et jaloux en celui qu'elle ne voyait plus que comme le père émasculé de leur enfant ? Si au contraire elle avait bel et bien été prise en flagrant délit par un dénonciateur anonyme, avait-elle, par instinct de préservation ou sentiment de culpabilité, renoncé à courir de tels risques ? Mais surtout, avait-elle vraiment ouvert les yeux cette fameuse nuit au motel et vu son mari pointant une arme sur elle ?

Toutes ces questions resteraient désormais sans réponses. Il n'avait jamais pu se résoudre à lui parler de cette nuit, même si elle avait semblé l'attendre, peut-être le souhaiter. Il aurait tant voulu être capable d'aborder le sujet avec elle, mais n'avait pas su comment. Il ne pouvait pas lui dire : « Bonjour, chérie, peut-on discuter de la nuit où j'ai failli te tirer une balle dans la tête alors que tu venais de baiser ton amant dans une chambre de motel ? » Cela aurait eu le mérite d'être direct et honnête, et Nicole n'aurait probablement pas battu un cil. Mais il n'en avait pas eu le courage.

Deux mois plus tard, elle était morte.

Également sans réponses, les questions qu'il s'était inlassablement posées sur lui-même. Si elle n'avait pas ouvert les yeux, aurait-il tiré ? Et sur qui ? Aurait-il, à la dernière seconde, changé de cible et tué le jeune homme ? Ou les aurait-il occis tous les deux ? Submergé par ses émotions, il avait agi sans réfléchir. Depuis lors, il ne parvenait pas à comprendre comment il était passé à deux doigts de devenir un meurtrier – le meurtrier de sa propre femme. Comment son amour pour elle lui avait-il permis d'envisager un tel acte ? Sans parler de la morale et de son devoir de père ? Nicole morte, lui en prison, quel avenir aurait eu Nora ? Quel monstre d'égoïsme avait-il été pour ne pas penser, malgré l'humiliation et la rage, au traumatisme que son acte aurait infligé à cette innocente d'à peine six ans ? Traumatisme qu'elle avait fini par devoir endurer, mais pas par sa main, et avec son soutien.

En rentrant de l'hôtel, ce soir-là, il avait payé Jeannie, déposé un baiser sur le front de Nora endormie, puis s'était précipité aux toilettes pour vomir, y restant longuement, secoué de spasmes violents alors qu'il avait épuisé même sa bile.

31

«Dépêche-toi, oncle Kevin, lança David depuis le bas de
l'escalier. Si on arrive trop tard, il n'y aura plus rien de bon
à manger.»

On était dimanche, jour de marché, qui se tenait sur le
terrain de manœuvre du village. Kevin et David avaient
pris l'habitude de s'y rendre chaque week-end pour acheter
quelques produits frais des fermes avoisinantes, prendre un
petit bain de foule local et déguster les mets variés – des
épaisses saucisses allemandes et des souvlakis grecs rôtis
sur le gril aux crêpes et galettes de sarrasin bretonnes sans
oublier les lasagnes et poivrons farcis italiens – offerts aux
multiples stands alignés de chaque côté du vaste espace
gazonné.

Au début, Kevin, qui avait vécu en quasi-reclus depuis
son retour dans le Vermont, ne voyant occasionnellement
que Fran et Edna, s'était senti submergé par cette multitude
bigarrée et bavarde qui, aussi sociable qu'un peuple peut
l'être quand il n'a que quelques mois de beau temps pour
côtoyer ses semblables, lui souriait, le saluait et lui adressait
la parole pour un oui ou pour un non. David, lui, se délectait
de ces moments où couleurs, arômes et sons se mêlaient en
un carrousel festif. Il voulait goûter à tout, tirant son oncle
par la manche pour déguster les échantillons offerts par les
commerçants, et insistant pour qu'il les essaye lui aussi. Il

ne se passait pas deux minutes sans qu'il ne rencontre l'un ou l'autre de ses camarades de classe et il paraissait également connaître une multitude d'adultes – des parents ou instituteurs – à qui Kevin devait serrer la main en tentant désespérément de se souvenir de leur nom.

Mais au fil des semaines, il s'était pris à apprécier leurs sorties dominicales et même à s'en réjouir d'avance. Il était ravi de voir à quel point David se sentait à l'aise dans son nouvel environnement. Sans vouloir se l'avouer, il tirait même un certain plaisir des rencontres qu'il faisait avec les gens du cru. Avec le retour des beaux jours et l'approche des grandes vacances, il était beaucoup question de barbecues et les premières invitations commençaient à s'échanger, à la grande joie de son neveu. Et puis il y avait le stand des Mad River Distillers, où il ne manquait jamais de s'arrêter après déjeuner pour savourer un petit verre de leurs excellents whiskys, bourbons ou rhums, tous distillés localement au cœur des Green Mountains. Même Fran, à son corps défendant, avait dû reconnaître que leur tord-boyaux n'était pas si mauvais.

«J'arrive, mon grand», répondit Kevin en dévalant les marches. Il saisit ses clés et ouvrit la porte d'entrée en grand, déclenchant une sirène assourdissante.

«Saloperie! maugréa-t-il en pressant frénétiquement le code sur le panneau du système de sécurité fixé au mur du vestibule.

— Tu as encore oublié de désactiver l'alarme, s'esclaffa David. C'est la quatrième fois cette semaine.

— Tu pourrais me le rappeler au lieu de te marrer comme une baleine qui a trouvé un parapluie, graine de délinquant!»

Sortant son portable de sa poche, il composa le numéro de la centrale de surveillance pour leur signifier qu'il s'agissait encore d'une fausse alerte. S'il n'avait pas eu de difficulté à se souvenir d'enclencher le système de sécurité chaque fois qu'ils sortaient de la maison et à le désactiver lorsqu'ils rentraient, ayant pratiqué la même routine pendant des années dans la demeure de Palo Alto, jamais il n'avait, jusqu'à sa visite de l'ancienne habitation de David, ressenti le besoin d'activer l'alarme le soir avant de se coucher. Ce qui créait invariablement de bruyants départs lorsque, le matin venu, il oubliait de composer le code de désactivation avant d'ouvrir la porte.

Une fois le système réamorcé, ils grimpèrent dans la Chevy.

« J'ai une faim de loup, dit David en se frottant le ventre. J'espère qu'il restera quelque chose à manger.

— Il n'est que 11 h 15, répondit Kevin en accélérant légèrement au-dessus de la vitesse autorisée, on a encore une bonne heure avant que les vendeurs n'épuisent leurs stocks. »

Au grand soulagement de David, la prédiction de son oncle se révéla correcte. Après avoir parqué leur voiture à l'ombre d'un sapin et salué les anciens combattants aux bérets épinglés de médailles assis sous la tente des Vietnam Veterans of America, ils se dirigèrent vers le stand du restaurateur grec où grillaient des brochettes particulièrement appétissantes.

Ils dévoraient leur repas, confortablement assis sur un banc, lorsqu'une femme blonde aux courbes généreusement galbées dans un jean et un t-shirt s'approcha d'eux en souriant.

« Hello, David, *bon appétit*[1]. Tu passes un agréable week-end ? »

David se leva et, après s'être vivement essuyé la main sur son pantalon, serra celle de la nouvelle venue.

---

1. En français dans le texte.

«Bonjour, Mrs. James. Oui, merci. Belle journée, n'est-ce-pas?

— Merveilleuse, en effet.»

Elle se tourna vers Kevin, qui s'était lui aussi levé et lui tendait la main.

«Mrs. James, je vous présente mon oncle Kevin. Mrs. James est ma professeure de musique.»

La bouche de la jeune femme se fendit d'un petit sourire malicieux. «Bonjour, Kevin. C'est un plaisir de te revoir, cela fait bien longtemps.»

Kevin ne sut que dire, et la regarda en fouillant frénétiquement sa mémoire. Ces yeux bleu gris, ces pommettes hautes et cette voix chaude comme un feulement de panthère ne prêtaient pas à l'oubli. Et pourtant, embarrassé, il faisait chou blanc.

«Wendy, Wendy James, l'aida-t-elle en riant. C'est normal que tu ne te souviennes pas de moi, j'avais à peine cinq ans quand tu es parti pour Boston. Mais je n'ai pas oublié. Nous étions voisins à Hinesburg. Mon frère Trevor était *linebacker* dans ton équipe et mon père m'emmenait voir tous vos matchs.»

Kevin, ébahi, s'exclama:

«Little Wendy? Ça par exemple! Tu... tu as grandi.»

Elle rit de nouveau, secouant d'un mouvement de la tête ses mèches dorées.

«Ça vaudrait mieux, j'approche de la cinquantaine. Mais toi, à part quelques cheveux gris, quelques rides et quelques kilos en plus, tu n'as guère changé.»

Malgré ces paroles, il se sentait bien âgé devant cette femme qui n'avait pas l'air d'avoir quarante ans.

«Comment vont tes parents? Et tes frères?»

Le sourire s'effaça du visage de Wendy. «Maman est décédée il y a quatre ans, d'une rupture d'anévrisme. Et papa, inconsolable, l'a suivie moins d'une année plus tard. Je crois qu'il n'a pas voulu continuer à vivre sans elle. À la première grippe, il s'est laissé partir.

— Je suis désolé, dit Kevin en baissant les yeux.

— *C'est la vie*[1]. Trevor a repris la ferme familiale et épousé une étudiante du Wisconsin qu'il avait rencontrée à UVM[2]. Ils ont deux enfants, un garçon et une fille qui font leurs études, lui à West Point et elle à Wellesley. Quant à Tim, il est capitaine dans les Coast Guards et est basé à San Diego. Il est toujours célibataire.

— Et toi, mariée, des enfants?»

Ce fut son tour de baisser les yeux.

«J'ai essayé le mariage après l'université. Avec Paul, un Québécois. Ça n'a pas marché. Et pour ce qui est des enfants, ajouta-t-elle en mettant sa main sur l'épaule de David, je suis comblée. J'en ai vingt-deux tous les jours dans ma classe.» Elle secoua de nouveau ses boucles blondes. «Je te savais de retour. Fran m'a donné de tes nouvelles. Je suis navrée de ce qui est arrivé à ton épouse.»

Il hocha la tête.

«Comme tu l'as dit, c'est la vie et elle a un sens de l'humour plutôt tordu.

— J'ai des amis qui m'attendent pour déjeuner, dit-elle en balayant du regard les alentours. J'espère que l'on aura l'occasion de se revoir bientôt. Dîner, peut-être?

— Oh oui, bonne idée, dit David avant que Kevin puisse ouvrir la bouche. Mon oncle est un excellent cuisinier.

— Vraiment? Eh bien, j'attends ton invitation.»

Elle embrassa David sur les deux joues et fit un petit signe à Kevin avant de s'éloigner.

«Elle t'aime bien, oncle Kevin.

1. En français dans le texte.
2. University of Vermont.

— Little Wendy ? C'est une gamine… Et puis qu'est-ce que tu en sais ?

— Ça se voit, comme elle te regarde et aussi comme elle change sa voix quand elle te parle. Au cas où tu ne l'aurais pas remarqué, elle n'est plus une gamine. Mais elle est gentille et plutôt jolie. Tu ne veux pas l'inviter à dîner un de ces jours ? Ça serait sympa. »

Kevin lui donna une petite tape sur le crâne.

« As-tu fini de jouer les entremetteurs ?

— Je pense que ça te changerait un peu. Fran est super, mais elle est déjà mariée, alors que Mrs. James, elle est libre.

— Pas sûr. Elle a peut-être un petit ami. »

David secoua la tête énergiquement.

« Non, je me suis renseigné. Elle n'est avec personne. Elle vit seule avec ses deux chiens, des bergers australiens.

— Je crois que je préfère ne pas savoir d'où tu tiens ces informations, commenta Kevin en le considérant, éberlué.

— Alors, c'est d'accord ? Tu vas l'inviter ?

— Ça n'est pas si simple, bonhomme.

— Ça n'est pas si compliqué non plus, insista David, l'air soudain sérieux. Je sais que tante Nicole te manque. Papa et maman me manquent aussi énormément. Et je les aimerai toujours, comme toi tu aimeras toujours ta femme. Mais ça ne m'empêche pas de t'aimer, toi aussi. Un cœur, ça a beaucoup de place. »

Kevin sourit tendrement.

« Il y a plus de sagesse dans ta tête que dans celle de la plupart des adultes que je connais, moi compris. OK, j'inviterai Wendy à dîner, promis. Maintenant viens, j'ai envie d'un petit digestif. »

Comme toujours, c'était l'affluence devant le stand des Mad River Distillers, un témoignage de la qualité de leurs produits mais aussi de l'attrait des échantillons gratuits qui y étaient dispensés. Après avoir fait la queue quelques minutes, Kevin sirotait un verre de rye whisky lorsque soudain David lui agrippa la main, la serrant de toutes ses forces.

« Oncle Kevin ! Il est ici ! »

32

Fran gravit d'un pas alerte les marches menant au building en briques ocre abritant le quartier général de la police de Newton. Passant sous le drapeau étoilé, elle poussa la porte et se retrouva dans le hall, presque désert en ce dimanche matin. Elle n'avait pas été autrement étonnée quand, la veille au soir, Jim Malone l'avait appelée sur son portable pour lui demander si elle pouvait venir le retrouver à son bureau le lendemain matin. Le crime, à l'instar du vice, ne connaît ni week-ends ni jours fériés. Même dans un comté relativement tranquille comme celui d'Addison, elle ne pouvait plus compter le nombre de barbecues, les parties de pêche ou de chasse interrompus par l'appel d'un de ses adjoints de l'époque. Elle soupçonnait également le chef de police de préférer la relative tranquillité d'un dimanche matin – la moitié de la population de la ville était catholique – pour discuter du sujet qui les préoccupait.

«Avec l'aide de nos amis du FBI, nous avons fait quelques découvertes qui pourraient t'intéresser», avait-il annoncé sans épiloguer. Il n'avait nul besoin d'en dire plus. Alors qu'Edna était encore endormie, Fran avait engagé son pick-up Ford sur l'Interstate 89, une Thermos de café fumant dans le porte-gobelet et une boîte de muffins à portée de main. Profitant du faible trafic, elle avait fait le trajet en à peine trois heures.

À son approche, le sergent de garde assis derrière le comptoir de réception leva un œil morne de son journal.

« Puis-je vous aider ? marmonna-t-il sur un ton désintéressé.

— Mon nom est Fran Murray, sergent. J'ai rendez-vous avec Chief Malone. »

Le sergent se leva hâtivement dans un semi garde-à-vous, un sourire crispé sur son visage.

« Shérif Murray ! Bien sûr. Chief Malone vous attend. »

Il pressa un bouton sur la console devant lui, déverrouillant l'accès aux bureaux des détectives.

« C'est la grande porte tout au fond du couloir, dit-il d'une voix devenue respectueuse. Vous ne pouvez pas vous tromper.

— Merci sergent. »

Fran franchit le couloir en quelques enjambées et frappa à la porte entrouverte.

« Entrez ! » tonna la voix familière de Malone.

Il était debout devant un grand panneau mural sur lequel était épinglée une carte du nord-est des États-Unis. Il avait échangé son uniforme bleu sombre contre une paire de pantalons kaki et un polo jaune qui, si ce n'était pour le holster contenant son SIG-Sauer SP 2340 attaché à sa ceinture, donnaient l'impression qu'il s'apprêtait à faire un dix-huit trous au country club local.

À ses côtés se trouvait un autre homme, plus jeune et plus athlétique. Avec ses cheveux soigneusement coiffés en arrière, ses lunettes en écaille et son costume gris de bonne coupe, il ressemblait à un banquier de Wall Street. Un banquier qui porterait une arme de gros calibre sous son veston, comme en témoignait la légère déformation du tissu en dessous de l'épaule gauche que Fran n'avait pas manqué de remarquer.

Un Fed, pas de doute.

Pour une fois, Fran était la seule dans la pièce à ne pas être armée et elle se sentait dénudée. Mais pas pour autant vulnérable.

En la voyant, le visage de Malone se fendit d'un large sourire.

«Fran! Merci d'être venue. J'espère qu'Edna ne t'en voudra pas trop de l'avoir abandonnée un dimanche.

— Moi non, dit-elle en lui serrant la main, mais attends-toi à quelques vertes remontrances téléphoniques.»

Il fit la grimace. «Il vaut mieux que je laisse mon assistant prendre mes appels désormais.» Se tournant vers son visiteur, il ajouta: «Fran, je te présente l'agent spécial Donald Caldwell, du bureau régional de Boston. Il nous donne de temps en temps des coups de main, comme dans le cas qui nous intéresse.

— Enchantée», dit Fran. L'homme avait la main sèche et la poigne énergétique, ce qui lui plut immédiatement. Elle ne supportait pas de serrer une main moite ou molle. «Caldwell? Vous ne seriez pas par hasard apparenté à George Caldwell, qui était le SSA du bureau satellite de Burlington?»

L'homme sourit, découvrant des dents d'une blancheur presque surnaturelle.

«C'est mon père. Dans la famille, nous sommes Feds de père en fils. Grandpa Josh travaillait déjà pour J. Edgar Hoover avant la guerre.

— Un excellent agent et un homme charmant. J'ai eu l'occasion de collaborer avec lui sur quelques affaires, dans le temps. Que fait-il à présent? J'espère qu'il coule des jours heureux au soleil des Bahamas.»

Caldwell éclata de rire. «C'est ce que ma mère souhaiterait. Mais le vieux ne supporte pas l'oisiveté. Il dirige un think tank sur le terrorisme international à Washington, DC.

— Le monde n'en est que plus sûr, commenta Fran en hochant la tête avec appréciation.

— Quand vous en aurez fini avec les mondanités, on pourra passer aux choses sérieuses, interrompit Malone.

Mon aîné a un match de baseball à midi et je lui ai promis d'y assister. »

Trapu avec un cou de taureau, Malone n'avait pas l'allure élancée de Caldwell, mais c'était un excellent flic, qui prenait le temps de réfléchir avant d'agir, ce qui devenait rare par les temps qui couraient.

« Suite à ta suggestion, continua-t-il en montrant du doigt la carte sur laquelle des cercles et des chiffres avaient été inscrits au marqueur rouge, nous avons, un premier temps, affiné notre recherche dans ViCAP en nous concentrant sur les vingt-cinq dernières années et des victimes d'enlèvement, sévices sexuels et meurtres mâles âgées entre 6 et 13 ans, de race caucasienne, aux cheveux auburn, blond vénitien ou roux et aux yeux clairs. Après avoir écarté les affaires résolues ou inconsistantes en termes de *modus operandi*, timing ou empreintes génétiques, nous avons abouti à neuf cas. La majorité des enlèvements eurent lieu dans des endroits publics, tels que terrains de jeux, grands magasins, toilettes de restaurant. Mais à deux reprises, les victimes furent kidnappées chez elles en pleine nuit, sans que les parents se réveillent.

— Peut-être notre homme tentait-il de faire la même chose avec David quand il fut surpris par ses parents, suggéra Caldwell.

— C'est possible. Ou bien il devient plus téméraire, répondit Malone avant de continuer. Le premier crime, en 1998, eut lieu non loin de Richmond, en Virginie, mais tous les autres, après un trou de presque trois ans, furent perpétrés dans le nord-est du pays, plus précisément un en Pennsylvanie, un dans le New Jersey, trois dans l'État de New York, un dans le Connecticut, un dans le Maine et, bien sûr, un ici, dans le Massachussetts.

— Il remonterait progressivement vers la frontière canadienne? demanda Fran.

— C'est ce que nous avons cru initialement, dit Caldwell. Mais si vous regardez les dates des crimes, cette thèse ne colle pas. La première attaque dans l'État de New York a eu lieu dans la banlieue de Syracuse. Elle fut suivie huit mois plus tard par une agression à Bangor, dans le Maine, à plus de cinq cents miles au nord-est, puis par une autre, l'année suivante, non loin de Pittsburgh, en Pennsylvanie, huit cents miles au sud-ouest. Et ainsi de suite.»

Fran contempla la carte un moment, tentant de discerner une configuration. Elle savait que le cerveau humain a une affinité, héritée du processus évolutif, avec les structures visuelles et a tendance à en voir même lorsqu'il n'y en a aucune, prédisposition à l'origine aussi bien du sophisme du joueur que des constellations. Du fait de cette affinité, il est également très difficile d'agir de façon purement aléatoire ou d'en créer l'illusion. En effet, les événements réellement aléatoires, comme les numéros gagnants de la loterie, ont autant de chances d'être groupés – et donc de former une configuration apparente – que d'être espacés *au hasard*. C'est ainsi que, pour un œil exercé, certains criminels trahissent involontairement leurs méthodes. Mais malgré tous ses efforts et son expérience, Fran ne voyait rien qu'un terrain d'opération couvrant de façon erratique plus de cent quatre-vingt mille miles carrés.

Comme s'il avait lu dans ses pensées, Caldwell rompit le silence. «Devant ce manque singulier de structure, j'ai proposé à Chief Malone d'étendre nos recherches aux victimes du sexe féminin, en gardant toutes les autres données inchangées. Cela nous a permis de repérer quatre attaques supplémentaires…» S'aidant d'un marqueur bleu, il ajouta ces informations sur la carte.

«Ici, là, là et enfin là.

— Nom d'un chien! s'exclama Fran. Le salopard suit une spirale concentrique!

— Ça en a tout l'air, en effet, renchérit Malone. Et même s'il a une préférence pour les garçons, 30 % de ses victimes sont des filles, disséminées assez régulièrement dans le temps et l'espace, comme s'il voulait périodiquement changer son ordinaire.

— Ou brouiller les pistes. Qu'est-ce qui vous a fait penser à inclure les deux sexes dans votre quête ? Un pédophile bisexuel, ça n'est pas très courant, non ?

— Appelez ça une hypothèse éclairée, expliqua Caldwell. À vrai dire, on ne peut caractériser un pédophile comme étant hétéro, homo ou bisexuel, car la grande majorité d'entre eux n'ont pas développé une sexualité d'adulte permettant une telle catégorisation. Leur attraction est dirigée sur les enfants, souvent d'un seul sexe, mais parfois des deux.

— Cette dualité ainsi que ses changements fréquents de terrains de chasse ont certainement contribué au fait que les différentes forces de l'ordre impliquées n'ont pas connecté les points jusqu'à présent », ajouta Malone.

Fran toucha du doigt l'un des cercles bleus que Caldwell venait de tracer sur la carte.

« En tout cas, nous savons maintenant qu'il connaît le Vermont. Il était à St. Johnsbury en 2013. Une petite fille de huit ans et demi… »

Elle secoua la tête avec dégoût. Elle avait été confrontée à toutes sortes de crimes et criminels durant sa longue carrière, et avait été témoin des turpitudes et ignominies les plus révoltantes. Elle était parvenue néanmoins à rester détachée, s'interdisant toute implication émotionnelle qui aurait risqué d'affecter son travail, son jugement et sa santé mentale. Mais les supplices d'enfants, c'était autre chose, et elle ne pouvait réprimer une bouffée de rage et un désir irrépressible de vengeance.

« Et, à en juger par la configuration qu'il semble suivre, poursuivit-elle, il risque bien d'y retourner prochainement. Newton est situé au bas de sa dernière boucle et s'il continue de procéder dans le sens des aiguilles d'une montre, son prochain terrain de chasse devrait se trouver au nord-ouest, au New Hampshire ou dans le Vermont.»

Elle se tourna vers Caldwell.

«A-t-il déjà laissé échapper l'une de ses proies avant David Gallagher?

— Pas que l'on sache. Nous n'avons trouvé aucune trace de tentatives infructueuses d'enlèvement d'enfant correspondant aux paramètres de nos recherches. Mais toutes ne sont pas rapportées aux autorités, surtout lorsque le perpétrateur n'a pas été suffisamment bien observé pour pouvoir donner un signalement utile. Il semblerait, cependant, que le jeune Gallagher eût été le seul chanceux.

— Fran craint que notre homme ne soit à tel point frustré par son échec qu'il tente de retrouver l'enfant pour une seconde tentative», dit Malone.

Caldwell hocha la tête, pensivement.

«Ça ne serait pas typique de ce genre de criminels, mais dans la déviance tout est possible. Je vais alerter notre bureau de Burlington. Sans complément d'informations, je ne peux faire plus. Il serait cependant une bonne chose que l'oncle soit sur ses gardes, prévienne son école d'un risque potentiel et ne laisse pas l'enfant seul en dehors des heures de classe.

— En effet, surtout que son tableau de chasse semble indiquer que notre salaud serait originaire du Nord-Est, commenta Malone.

— Ou qu'il concentre ses battues là où son type de gibier abonde, ajouta Fran. Démographiquement parlant, il y a probablement plus de rouquins en pays yankee qu'en Alabama ou en Floride. Dans tous les cas, s'il se pointe dans notre région, il apprendra à son détriment que les Woodchucks[1] ne se laissent pas impunément marcher sur les pieds.»

---

1. «Marmotte». Surnom des natifs du Vermont.

33

«L'homme, il est ici!» répéta David d'une voix remplie de terreur.

Kevin lâcha son verre de whisky et se retourna brutalement. David, livide, pointait un doigt tremblant en direction de l'église Sainte-Catherine, de l'autre côté de la rue longeant le terrain de parade. Devant les marches de l'église, Kevin aperçut un individu vêtu de noir, le visage dissimulé par un chapeau à larges bords.

«Viens!» dit Kevin en prenant son neveu par le bras. Il l'entraîna en courant à travers la foule du marché, se heurtant en chemin à plusieurs personnes et évitant de justesse de renverser une vieille dame avec son sac. Parvenu à la hauteur de la tente des vétérans, il lâcha prise.

«Reste ici, ordonna-t-il à David. Ne bouge surtout pas d'un pouce!» *Ces gars ont tous des flingues sur eux et ils savent s'en servir*, pensa-t-il en s'élançant vers Church Street. À distance, il pouvait voir l'homme contourner l'église et s'engager dans l'allée la séparant du presbytère, disparaissant dans l'ombre du bâtiment. Malgré l'afflux d'adrénaline, Kevin avait du mal à trouver son souffle. Contrairement à Fran, il n'était pas un adepte du running, et le verre de whisky qu'il venait de boire ne faisait rien pour aider.

«Ça n'est pas le moment de te mettre à dégueuler», grommela-t-il en traversant Church Street.

Une Buick dut piler pour ne pas le percuter de plein fouet et son conducteur exprima sa colère à grand renfort de klaxon. Mais Kevin n'avait pas le temps de s'arrêter pour s'excuser. Parvenu dans l'allée, il aperçut juste le dos de l'homme avant que celui-ci ne tourne le coin du presbytère en direction du parking. Faisant appel à tout ce qui lui restait d'énergie, il fonça droit devant lui. Ses pas résonnaient contre les murs des bâtiments et, l'espace d'un instant, il se demanda si l'autre ne l'attendait pas en embuscade, son .357 Magnum au poing.

Pas en plein jour de marché, trop risqué, se rassura-t-il en débouchant sur l'aire de stationnement.

À sa grande surprise, sa cible se tenait à moins de dix mètres, occupée à déverrouiller sans hâte apparente la portière d'une Prius flambant neuve. Kevin bondit et, saisissant d'une poigne de fer l'épaule de l'inconnu, le fit pivoter brutalement, son autre poing prêt à s'abattre sur son visage.

Poussant un cri d'effroi, l'homme laissa tomber son trousseau de clés et leva les bras pour se protéger.

Kevin s'arrêta à mi-geste.

« Père Rodriguez ? »

L'homme baissa lentement les bras, découvrant un visage effrayé au-dessus de son col blanc de prêtre.

« Kevin O'Hagan ? » Sa voix était blanche. « Que se passe-t-il, mon fils ? » Il porta une main à son épaule endolorie. « Vous m'avez fait une peur bleue !

— Je suis navré, mon père. Je… je vous ai pris pour quelqu'un d'autre. »

Le prêtre renifla le relent de whisky sur son haleine et le dévisagea d'un air suspicieux.

« Vous êtes sûr que tout va bien ? Vous avez l'air… souffrant. »

À bout de souffle, inondé de sueur et sentant l'alcool, Kevin comprit qu'il ne devait pas inspirer grande confiance au vieux curé. Mais il n'avait ni le désir ni le temps de s'expliquer.

«Vous n'auriez pas vu un autre homme dans les parages, habillé en noir, comme vous?» questionna-t-il en parcourant le parking du regard. À part une jeune femme avec une poussette, ils étaient seuls.

«Non, mon fils. Personne.» Le prêtre lui jeta un autre regard inquisiteur. «Cela fait longtemps que je ne vous ai pas vu dans notre église, Kevin. Vous devriez m'y rendre visite, un de ces jours. Nos portes sont toujours ouvertes.»

Kevin parvint à sourire. «Je n'y manquerai pas, mon père. Très bientôt, je vous le promets.

— Je vous prends au mot. À bientôt donc», dit le prêtre en lui retournant affablement son sourire.

Tandis qu'il récupérait ses clés et prenait place dans sa voiture, Kevin rebroussa lentement chemin, scrutant chaque recoin dans l'espoir de repérer une éventuelle présence, en vain.

David le regarda s'approcher d'un air à la fois anxieux et soulagé.

«Alors? demanda-t-il tandis que Kevin lui passait un bras protecteur autour des épaules.

— Rien, ni personne. Juste le père Rodriguez, à qui j'ai foutu une trouille bleue.»

Le garçon baissa le regard sans un mot.

«Allons boire une limonade, dit Kevin en le prenant par la main. Je meurs de soif.»

34

«J'ai dû me tromper, murmura David, quelques minutes plus tard, comme s'il se parlait à lui-même, alors qu'ils sirotaient leurs boissons. Je n'ai jamais vraiment vu son visage. Il portait toujours un chapeau.

— Quand il observait votre maison derrière la clôture du voisin, à Newton? poursuivi Kevin.

— Mais comment tu sais?

— Quand je lui ai rendu visite, Mrs. Sprague m'a montré tes dessins, tu te souviens? Je n'ai pas pu m'empêcher de remarquer la silhouette vaguement sinistre dans le coin de chacun d'eux, à l'exception de ceux représentant la Californie. J'en ai déduit que tu devais toujours te sentir menacé ici. Et puis quand Fran et moi sommes allés chercher tes affaires dans la maison de tes parents, elle a aperçu une chaise placée dans le jardin de la demeure voisine le long de votre palissade, depuis laquelle on a une vue parfaite de toute la façade, y compris de la fenêtre de ta chambre. De là à penser que vous étiez épiés, il n'y avait pas un grand pas à faire.

— Je l'ai vu plusieurs fois, de ma fenêtre, le soir, quand je fermais les rideaux. J'ai trouvé ça... bizarre. Et puis, il est venu et...»

Il ne termina pas sa phrase.

«Et depuis que tu es dans le Vermont?»

L'enfant haussa les épaules. «Peut-être. Je ne suis pas sûr.» Il leva vers lui des yeux pleins de larmes.

«Parfois je crois le voir, mais quand je tourne la tête, il n'y a personne. Est-ce que j'ai des hallucinations, oncle Kevin? Est-ce que je deviens fou?

— Pas du tout, fiston, dit Kevin en le prenant dans ses bras et embrassant le sommet de sa tête. Après ce qui t'est arrivé, c'est tout à fait normal d'être sur le qui-vive et de voir le danger partout.»

Il s'accroupit pour être à sa hauteur et le regarda droit dans les yeux avant d'ajouter d'un ton rassurant: «Je veux que tu saches que je ne laisserai jamais rien ni personne te faire du mal. Tu peux compter sur moi.»

35

L'après-midi était déjà avancé lorsque Fran reprit la route du Vermont. Absorbé par leur discussion, Malone avait manqué le match de baseball de son fils. Vers 14 heures, ils avaient déjeuné dans son bureau de sandwichs et de bières commandés au restaurant du coin de la rue et s'étaient quittés en se promettant de se tenir mutuellement informés.

D'ordinaire, elle aurait savouré avec délice la traversée ensoleillée des immenses forêts du New Hampshire. Mais son esprit était ailleurs, immergé dans les abysses sans lumière de la monstruosité humaine. Au-delà de la frustration qu'elle ressentait à ne pouvoir agir de manière officielle, elle se reprochait sa lenteur à prendre les craintes de Kevin au sérieux. N'avait-il pas, avant tout le monde, deviné que *l'ombre* avait bel et bien voulu enlever David ? Et avait-elle eu raison de le rassurer comme elle l'avait fait quelques jours auparavant, le dissuadant d'emmener l'enfant loin du terrain de chasse de ce rapace ? Mais ce qui l'enrageait le plus – et, bien qu'elle refusât encore de se l'avouer, commençait à sérieusement l'inquiéter – était de ne pas savoir si David était toujours en danger. Son expérience et les données criminologiques indiquaient que non. Mais son instinct lui susurrait le contraire.

Au moins, Kevin avait pris les précautions qui s'imposaient et n'était pas près de lâcher son neveu de l'œil. Elle ne ressentait ainsi pas le besoin immédiat de l'appeler pour lui faire part de ses dernières découvertes. Cela ne ferait qu'accroître son anxiété, sans amener quoi que ce soit de plus en termes de protection.

Elle était également perturbée par ce que lui avait révélé Caldwell à la fin de leur conversation. Sur la scène de trois des treize kidnappings, une femme avait été aperçue par des témoins. Dans aucun des cas elle n'avait semblé prendre part à l'enlèvement. Mais sa description, même si elle avait été insuffisante à une identification, avait chaque fois été la même : une femme d'âge mûr – entre quarante et cinquante-cinq ans –, grande – un mètre soixante-quinze au moins –, de race caucasienne, avec des cheveux mi-longs, roux foncé.

Il ne faisait aucun doute dans son esprit qu'il ne s'agissait nullement d'une simple coïncidence, pas avec une telle couleur de cheveux. Là aussi, il ne semblait pas exister de configuration apparente. Ni dans le temps ; la femme avait été aperçue aussi loin qu'en 2003 et aussi récemment qu'en 2013. Ni dans l'espace ; elle était apparue dans l'État de New York, le Maine et le New Jersey. Ni en fonction du type de victimes ; ces trois cas avaient impliqué une fillette et deux garçons. Peut-être avait-elle toujours été présente, non détectée, une complice, voire une cotortionnaire. Si les criminels en série semblent préférer agir seul, Fran savait qu'il y avait des exceptions notables, comme le tristement célèbre violeur et tueur d'enfants belge Marc Dutroux, qui avait bénéficié, pour accomplir ses sévices, de l'assistance de trois complices, dont sa propre femme, Michelle Martin. Mais Dutroux était plus un psychopathe qu'un pédophile, ses relations sexuelles n'étant pas limitées aux seuls enfants.

Était-ce le cas également de l'assassin des parents de David ? La femme rousse était-elle son épouse ? Un membre de sa famille ? Ou une simple partenaire de vice ? Peu lui importait vraiment. Seul comptait pour elle l'impact pratique que son rôle pouvait avoir. Plus de 90 % des agressions d'enfants étant commises par des hommes, une femme attire moins les suspicions, surtout auprès des petites victimes potentielles, pour lesquelles elle incarne l'image maternelle protectrice. Une telle complice peut donc se révéler une rabatteuse idéale, le pervers, telle une araignée au coin de sa toile, n'ayant qu'à attendre qu'elle lui rapporte sa proie. Et puis une femme ou un couple passe beaucoup plus inaperçu qu'un homme seul aux abords d'un parc à jeux ou d'une école.

Sous l'emprise d'une inspiration soudaine, Fran saisit son portable et composa le numéro de Louise. Par le biais de la connexion Bluetooth, la sonnerie se mit à résonner à travers les haut-parleurs de la voiture. Puis une voix de femme, trop jeune pour être celle de la vieille dame, se fit entendre.

« Résidence Bicknell.

— Bonjour, dit l'ancienne shérif. Frances Murray à l'appareil. Pourrais-je parler à Louise Bicknell, s'il vous plaît ?

— Mr. et Mrs. Bicknell sont partis pour le week-end chez des amis. Ils ne seront pas de retour avant demain en fin de matinée.

— Auriez-vous un numéro auquel je puisse les joindre là-bas ?

— Non, je suis navrée. Mrs. Bicknell a oublié son portable en partant.

— Vous a-t-elle dit où résident ces amis ?

— Malheureusement pas. Voulez-vous que je prenne un message ?

— Non, merci. Je rappellerai demain. »

Fran raccrocha et tapa rageusement du poing sur son volant.

Pourquoi n'y ai-je pas pensé plus tôt ? Il était fort probable qu'à son insu Louise ait rencontré le meurtrier. Mais l'ancienne shérif n'avait aucun moyen de le confirmer sans lui parler.

S'il y avait bien une chose qu'elle détestait, c'était de se sentir impuissante.

36

« Est-ce que j'ai des hallucinations ? »

Cette question que David lui avait posée quelques heures plus tôt, Kevin la ressassait depuis qu'il avait mis l'enfant au lit. Et il enrageait de ne pouvoir y apporter une réponse satisfaisante. Dans l'après-midi, il avait réagi instinctivement et poursuivi l'apparition du prétendu malfaiteur aussi vite que son souffle et ses vieilles jambes le lui avaient permis. Mais si malfaiteur il y avait, il s'était tout bonnement évaporé – ou mué en un prêtre connu de tous et qui n'avait pas quitté sa paroisse depuis trente ans. David avait-il réellement aperçu, en ce jour comme à d'autres occasions précédentes, cette *ombre* qui le menaçait, le meurtrier de ses parents ? Ou était-il, comme Fran l'avait suggéré, la proie de chimères nées de son traumatisme psychologique ?

Après s'être servi un grand verre de la bouteille de whisky qu'il avait achetée un peu plus tôt au marché, Kevin avait fait, dans le silence de la nuit, de longues recherches sur Internet. Des articles de criminologie aux pages du FBI en passant par les traités de psychopathologie, tout semblait corroborer les dires de sa vieille amie. Un criminel en série de type organisé comme l'agresseur des Gallagher choisit ses victimes en fonction de caractéristiques spécifiques. Elles lui sont personnellement inconnues et il n'a donc pas d'investissement affectif préalable en elles, contrairement aux cas

189

d'enfants agressés par des membres ou amis de leur famille. Il ne développe de relations avec celles-ci qu'après leur enlèvement. Dès lors, s'il manque une cible, il va de l'avant et en cherche une autre. Le plus souvent d'un quotient intellectuel largement supérieur à la moyenne, socialement compétent et géographiquement mobile, il évite les risques inconsidérés, contrôle et canalise ses pulsions et planifie méthodiquement ses crimes.

Plus il lisait, plus la conclusion s'imposait à lui que l'assassin n'avait eu aucune raison de traquer David jusqu'au Vermont et était probablement déjà à l'affût d'une autre proie – s'il n'avait pas déjà commis un nouveau crime. Et comme Fran l'avait justement remarqué, son neveu était fragile, encore sous le coup d'un choc émotionnel extrême. Il avait besoin d'affection, de routine et de normalité. Dans quelques semaines, l'année scolaire serait terminée. Ça serait alors l'occasion idéale de passer des vacances en Californie. Peut-être Nora se joindrait-elle à eux? Ils pourraient louer une voiture, sillonner l'État, visiter les parcs nationaux et même louer un bungalow près de la plage, à Malibu, comme il l'avait fait, tant d'années auparavant, avec Nicole et Nora, encore toute petite – l'un de leurs rares souvenirs de vacances en famille.

Kevin sourit à cette idée. Il avala une gorgée de whisky, ferma les yeux et s'abandonna brièvement à la chaleur de l'alcool. Quelques semaines. Juste assez de temps pour faire les préparatifs de voyage. Mais entre-temps, il n'était pas question de relâcher sa vigilance. Il allait au contraire redoubler de précautions, juste au cas où. Les spécialistes n'ont pas toujours raison, après tout.

Il rouvrit les yeux et fut surpris de voir David en pyjama debout devant lui.

«Eh bien, mon grand, tu as fait un mauvais rêve?» demanda-t-il d'une voix douce.

Le garçon secoua la tête et vint s'asseoir sur l'accoudoir de sa chaise. «Non, je me suis réveillé pour aller faire pipi et j'ai vu de la lumière, alors je suis descendu. Je ne veux pas te déranger...»

Kevin sourit et planta un baiser sonore sur sa joue. «Tu ne me déranges pas du tout, mais il est tard et demain tu as école. Il va falloir que tu remontes te coucher. Je vais en faire de même, d'ailleurs. Je suis épuisé.

— Je suis désolé de t'avoir fait courir pour rien, cet après-midi, dit David sur un ton chagriné.

— Ne sois pas désolé, fiston, tu as bien fait. Il n'y a rien de mal à pécher par excès de prudence. Et puis Fran n'arrête pas de me dire que j'ai besoin d'exercice.»

Il finit son verre d'un trait et se leva.

«Oncle Kevin, murmura avec hésitation le garçon alors qu'ils se dirigeaient vers la cuisine, je sais que ça ne me regarde pas, mais je pense que tu devrais essayer de boire un peu moins.

— Tu t'inquiètes pour ma santé? C'est gentil, ça.»

David le fixa droit dans les yeux, les sourcils sérieux. «Je t'aime beaucoup, oncle Kevin. Et je ne veux pas te perdre. Je ne veux plus souffrir comme j'ai souffert quand maman et papa sont morts. Ça fait trop mal.»

Kevin serra l'enfant dans une étreinte d'ours.

«Tu as raison, fiston. Je te promets de prendre mieux soin de moi dorénavant.»

Ils restèrent un long moment enlacés, debout dans la cuisine, avant que Kevin ne lui chuchote à l'oreille, la gorge serrée:

«Je t'aime aussi beaucoup, mon David.»

PARTIE VIII

37

Elle n'avait pas l'air de dormir. Elle était morte, et cela se voyait. Son visage n'était ni serein, ni en paix, ni effrayé non plus ; il n'avait aucune expression. Elle avait franchi la porte du néant et le néant se reflétait sur ses traits. Allongée nue sous les draps, son teint n'avait pas encore perdu sa couleur de vie. Et sa peau était encore tiède lorsqu'il avait caressé sa joue avec une retenue faite de respect et de crainte.

On l'avait laissé seul avec elle, dans la petite salle où, à l'arrivée de l'ambulance, médecins et infirmières avaient vainement tenté de la réanimer. Ils n'étaient pas parvenus à endiguer à temps les multiples hémorragies internes dont avaient souffert son thorax et son abdomen. Malgré les perfusions, elle avait perdu trop de sang et son cœur avait tout simplement cessé de battre. Elle n'était jamais revenue à elle, lui avait dit l'urgentiste, un homme jeune d'origine indienne à la voix douce et au regard compatissant.

La dernière chose qu'elle vit fut donc les phares et la calandre de l'automobile du chauffard – une grosse Toyota Land Cruiser – une fraction de seconde avant la collision. Malgré le coussin gonflable, le choc avait été si violent, à une vitesse combinée de près de 150 miles par heure, que le corps de Nicole s'était retrouvé pris en sandwich entre son siège et l'ensemble tableau de bord-colonne de direction. Ce que le médecin, par délicatesse, n'avait pas cru bon de préciser, c'est qu'elle avait été presque coupée en deux.

Mais à part une vilaine bosse sur le sommet droit du front, causée par un impact avec le pare-soleil ou le rétroviseur qui avait miséricordieusement provoqué une perte de conscience immédiate, le visage qui émergeait des draps était intact.

Une fois le médecin parti, il était resté longuement à la contempler, à distance d'abord, sans oser s'approcher. Il s'était pris à murmurer une prière, ce qu'il n'avait pas fait depuis des années. L'une de ces prières que l'on apprend dans son enfance, le Notre Père ou Je vous salue Marie, il ne se rappelait plus laquelle. Elle lui était venue aux lèvres sans qu'il s'en aperçoive vraiment. Nicole n'était pas croyante, elle aurait probablement ri de sa naïveté.

À travers la porte lui parvenait la multitude de sons, appels, cris et sanglots du service des urgences. Ils lui paraissaient lointains, comme issus d'un autre monde. Celui de ceux qui vivaient, se battaient et espéraient encore. Dans la petite pièce aux murs vert industriel et aux moniteurs éteints, il n'y avait de vie que la sienne, et l'espoir avait cédé la place à l'éternité.

Après s'être approché et avoir effleuré sa peau – peut-être pour s'assurer qu'il ne rêvait pas –, il avait saisi un coin du drap bleu pâle qui recouvrait le corps de Nicole. Il savait qu'il ne devait pas le soulever, qu'il serait non seulement traumatisant mais aussi indécent de le faire. Ces blessures qui l'avaient mutilée, elles appartenaient à sa femme et à elle seule. Par la force des choses, elle avait dû les partager avec les secouristes, médecins et infirmières. Mais pas avec lui. Il était bien conscient qu'elle n'aurait jamais voulu qu'il la voie ainsi, telle une pièce de boucherie dépecée sur une table. Mais il n'avait pu s'en empêcher.

Le drap en cachait un second, détrempé de sang encore frais. Il s'incurvait là où la cavité abdominale était béante. Celui-là, il l'avait laissé en place.

Rabaissant le drap, il avait passé sa main dans la chevelure de Nicole, lentement, tendrement, ses doigts se perdant dans les mèches soyeuses, comme il l'avait fait tant de fois au début de leur relation. Il aurait voulu lui dire qu'il l'aimait. Il aurait voulu lui dire bien de choses. Il n'avait rien dit. À quoi bon ? Elle était morte.

Il s'était baissé une dernière fois sur son visage et avait embrassé ses lèvres, avait goûté leur saveur familière, senti leur douceur sous les siennes. Une dernière fois.

Puis il s'était retiré.

Bien plus tard, il prit conscience que cela avait été leur plus grand moment de tendresse depuis de longues années.

38

« Tu n'avais vraiment pas besoin de me conduire à l'école, oncle Kevin. J'aurais pu prendre le bus, comme d'habitude.

— Ça me fait plaisir, répondit Kevin sur un ton qui se voulait léger. Je profite de le faire avant les vacances toutes proches. »

Il avait plu durant la nuit et une végétation luisante d'humidité émergeait çà et là des chapes de brume que le soleil n'allait pas tarder à dissiper. Dehors, l'air déjà chaud collait à la peau et était si épais qu'il semblait manquer d'oxygène, laissant présager un été poisseux. Derrière les vitres closes de la voiture, la climatisation, que Kevin s'était résolu à enclencher sur l'insistance de David, mettait les bouchées doubles, laissant échapper à travers ses grilles des volutes de condensation.

David lança un regard inquisiteur à son oncle. « Tu as peur que quelque chose m'arrive sur le chemin de l'école ?

— Non, mais je pense que deux précautions valent mieux qu'une. Il ne faut pas s'inquiéter, simplement être prudent.

— C'est vrai ce que tu as dit ce matin au petit déjeuner ? On va aller en vacances en Californie ? »

Kevin sourit et hocha la tête.

« Si ça te fait plaisir.

— Carrément ! On pourra rendre visite à cousine Nora ? Et voir où vivent Mina, Gaston et Zorgaël à Point Dume ?

— Bien sûr. Sans oublier Yosemite et Sequoia National Park, Alcatraz, Disneyland et le San Diego Zoo.

— Génial, j'ai tellement hâte d'y être! piaffa David, en passant un bras autour du cou de Kevin pour l'embrasser.

— Attention, fiston, tu vas nous faire sortir de la route », dit celui-ci en rigolant.

À l'approche de l'école, Kevin aperçut la file des voitures de parents venus déposer leurs enfants agglutinées à la queue leu leu sur l'allée menant à l'entrée principale.

« Prends School Street, conseilla David, qui avait suivi son regard, tu me laisseras à la porte ouest, devant la zone de débarquement des bus. »

Kevin obtempéra et dénicha une place à moins de cinquante pas du bâtiment. Le voyant sortir de la voiture, David, qui avait déjà sauté de l'habitacle et enfilé son sac à dos sur ses épaules, protesta.

« Tu ne vas pas m'accompagner jusqu'à la porte! Je n'ai plus cinq ans.

— Non. Mais j'ai besoin de prendre un peu l'air et il se fait que ma promenade m'amène dans la même direction. Entendrais-tu me refuser ma promenade matinale? »

David secoua la tête en riant.

« OK, mais pas de bisous, sinon tu vas me faire honte. »

Tandis qu'ils marchaient côte à côte, Kevin scrutait discrètement les alentours, en prenant bien soin de n'y laisser rien paraître, de peur d'inquiéter le garçon. Mais entre les Thomas Built Type C Buses qui déversaient leur cargaison de gamins en pleine effervescence et les parents qui, comme lui, avaient évité la congestion de l'entrée principale, il lui était impossible de discerner quoi que ce soit de suspect, et encore moins un homme à l'affût. Il n'était pas sûr d'en être rassuré ou inquiété.

À la porte, il fit un clin d'œil complice à David.

« Passe une bonne journée, fiston. Je te retrouve ici à 15 heures. Et si tu as un quelconque problème, demande

à Mrs. Sprague de m'appeler immédiatement, d'accord ?» Il
savait cette dernière recommandation superflue, car depuis
sa conversation avec Fran, il avait alerté la jeune institutrice, ainsi que le directeur de l'école, de l'éventualité, ténue
néanmoins réelle, qu'un malfaiteur puisse chercher à nuire
à l'enfant. À son grand soulagement, l'école avait pris son
avertissement au sérieux et avait promis de renforcer les
mesures de sécurité, tout en lui rappelant qu'aucune de
celles-ci n'était infaillible.

David sourit et lui retourna son clin d'œil. «À tout
à l'heure, oncle Kevin. Bonne journée.» Rehaussant son sac
sur ses épaules, il franchit la porte et disparut dans la foule
des écoliers.

Kevin resta sur place jusqu'à la seconde sonnerie, qui indiquait le début des classes et après laquelle toute arrivée était
sanctionnée comme tardive. Puis il déambula lentement en
direction de sa voiture, reniflant l'air du matin, attentif à tout
détail hors de l'ordinaire. En chemin, il croisa une voiture de
patrouille de la police locale qui faisait lentement sa ronde
autour des bâtiments – nul doute sur l'incitation de Fran. Il
salua de la tête l'officier au volant, qui lui répondit de même.
Autour de lui, quelques étudiants attardés se précipitaient
vers l'école. Une journée sans nuage s'annonçait, et dans les
arbres les oiseaux piaillaient gaiement. Mais lui se sentait
pesant, la tête dans le coton et la poitrine comprimée par
une sourde angoisse.

Il monta péniblement dans l'habitacle de sa Chevy,
comme s'il avait soudain pris dix ans. Suite à sa course de
la veille, ses genoux lui faisaient mal et il grinça des dents
en les glissant sous le volant. Il se promit silencieusement
de se soumettre au régime d'exercices que Fran lui avait
tant de fois recommandé. *Quand toute cette histoire sera finie.*
Mais finirait-elle un jour ? Combien de temps allaient-ils
encore devoir vivre avec cette menace au-dessus de leurs
têtes comme une épée de Damoclès ? Seule l'arrestation ou

l'élimination du meurtrier des parents de David pourrait la faire disparaître. Et si celui-ci était aussi rusé que Fran semblait le penser, cela risquerait de prendre des années. Il secoua la tête. *Inacceptable !*

Il s'empressa de chasser cette pensée de son esprit et démarra le moteur, dont le profond vrombissement lui donna une fugitive illusion de contrôle. L'horloge du tableau de bord indiquait 8 h 20. L'heure à laquelle toutes les portes d'accès à l'école étaient automatiquement verrouillées pour la durée des cours.

Il n'avait plus rien à faire ici.

39

Fran rongeait son frein. Pour la première fois depuis le début de sa retraite, elle ressentait un mélange d'impatience et d'appréhension face à des événements sur lesquels elle n'avait aucun contrôle. La matinée était déjà fort avancée et toujours aucun signe de Louise et Mick. *La peste soit des vieux qui conduisent comme des tortues ! On devrait leur retirer leurs permis.* Une idée qui la fit sourire, malgré son manque de légalité. Ajouter deux miles à son parcours de jogging quotidien n'avait rien fait pour calmer son humeur, pas plus que les multiples tasses de thé vert qu'elle avait ingurgitées depuis.

Edna avait essayé de la convaincre d'aller faire des courses avec elle, puis de déjeuner avec des amis à Burlington, sans succès. Elle avait préféré passer des heures à relire, encore et encore, les dossiers des différents enlèvements et meurtres hypothétiquement attribués au bourreau du couple Gallagher, griffonnant sur un bloc-notes des remarques, relevant les points communs, soulignant les éventuelles différences et apparentes contradictions. Petit à petit, elle s'était forgé une image mentale du criminel et s'était comme imprégnée de son caractère, de ses fantasmes et de ses pulsions. Pour tenter de voir à travers ses yeux et de penser par le biais de sa logique. Et plus elle faisait ainsi sa connaissance, plus elle le redoutait.

Peu avant midi, elle composa une fois encore le numéro de la maison de Gloucester et reçut la même réponse que les fois précédentes – mais sur un ton légèrement exaspéré – de la femme de chambre. Mick et Louise n'étaient pas encore parvenus à destination. «Ils se sont probablement arrêtés pour déjeuner», ajouta-t-elle.

Fran leva les yeux au ciel en laissant échapper un long soupir. «Je vous en prie, dites à Louise de me contacter dès leur retour. C'est de la plus haute importance et extrêmement urgent.

— Je n'y manquerai pas», assura son interlocutrice avant de raccrocher.

Il n'y avait plus qu'à attendre. Encore et toujours.

Se dirigeant vers la cuisine, Fran se prépara un sandwich qu'elle grignota sans appétit en regardant un épisode de *America's Got Talent* enregistré la semaine précédente. Edna lui manquait. Elle aurait su la calmer et la distraire bien plus efficacement que les vocalises d'une jeune ventriloque et les commentaires acerbes de Simon Cowell. Mais elle ne serait pas rentrée avant 14 ou 15 heures.

Elle avait finalement commencé à s'intéresser à son programme quand le téléphone sonna. Saisissant la télécommande, elle se dépêcha d'éteindre la télévision et attrapa son portable.

«Allô, Fran? C'est Louise.» La voix était inquiète et essoufflée, comme si la vieille femme s'était précipitée sur le téléphone. «Que se passe-t-il? On m'a dit de vous appeler d'urgence.»

Fran étouffa un juron. Dans sa hâte de lui parler, elle avait affolé la frêle octogénaire.

«Ne vous alarmez pas, Louise, tout va bien ici. David se porte à merveille et se réjouit des vacances qui approchent.

— Oh, merci, mon Dieu. J'ai cru qu'il lui était arrivé quelque chose. Après tous ces événements…

— Rassurez-vous, Kevin prend bien soin de lui.»

Elle se racla la gorge, se donnant un instant pour réfléchir à la meilleure façon d'aborder la question, et décida en faveur d'une approche directe.

«Je voulais simplement savoir si, depuis les obsèques de votre fille et de votre beau-fils, vous avez été contactée par des personnes – des membres de la famille, des amis, des collègues – désireuses de... témoigner de leur affection envers les défunts?»

Il y eut un bref silence à l'autre bout de la ligne. Louise réfléchissait.

«Oui, en effet, reconnut-elle finalement, surtout dans les semaines qui suivirent la publication des avis de décès. Brian n'avait pas de famille, mais lui et Georgia comptaient de nombreux amis, et tous ne purent se rendre à la cérémonie. La plupart m'ont écrit, mais d'autres ont préféré me communiquer leurs condoléances de vive voix. Cela a été dur pour moi, mais également très touchant.»

Elle étouffa un petit sanglot avant de continuer.

«Certains viennent toujours me rendre visite de temps en temps, et nous bavardons. Ils m'apportent des photos, nous échangeons des souvenirs.

— C'est touchant, en effet. Ces visiteurs, vous demandaient-ils des nouvelles de David?

— Quelques-uns, ceux qui connaissaient le petit. Ils s'enquéraient de son bien-être, voulaient savoir s'il se remettait de son épreuve.

— Et qu'est-ce que vous leur répondiez?

— Que c'est un enfant très courageux, dit-elle avec une pointe de surprise devant la tournure que prenait leur discussion, qu'il vit maintenant avec son oncle et que tout va aussi bien que possible au vu des terribles circonstances.

— Mentionniez-vous l'endroit où réside David à l'heure actuelle?

— Parfois, quand ils me posaient la question. Je leur disais qu'il vivait dans le Vermont. Pourquoi?»

Fran ignora la question. «S'il vous plaît, Louise, faites un effort de mémoire, c'est très important. Avez-vous fourni le nom ou l'adresse de Kevin à qui que ce soit?»

Il y eut une autre pause, plus longue que la première.

«Pas l'adresse, je ne l'ai pas en mémoire, et puis, que je me souvienne, personne ne me l'a jamais réclamée. Quant au nom de Kevin, à l'occasion, oui, dans le courant de la conversation. Fran, vous commencez à m'inquiéter, que se passe-t-il?

— Probablement rien, ne vous en faites pas. J'essaie d'étoffer le contexte d'informations pour faciliter la tâche des enquêteurs qui sont sur la piste du meurtrier.» *Et maintenant, le plus important.* «Ces gens qui vous ont contactée ou rendu visite, vous les connaissiez tous personnellement?

— Oh non, juste quelques-uns. Georgia et Brian vivaient leurs vies, c'est bien naturel. Ils n'allaient quand même pas me présenter à tous leurs amis.

— Sans doute, commenta Fran en s'efforçant de dissimuler son inquiétude. Mais il s'agissait toujours d'amis ou d'anciens collègues, n'est-ce pas? Des personnes qui connaissaient le couple de près?

— Bien sûr. D'ailleurs il leur arrivait de me conter des anecdotes que je ne connaissais pas, me permettant ainsi de découvrir des petites facettes de leur vie.»

Un nouveau sanglot étranglé, suivi par un nouveau silence.

«Sauf dans un cas…»

Le cœur de Fran fit un bond dans sa poitrine.

«Comment cela?

— Environ deux semaines après l'enterrement, un homme est venu me voir. Il m'a dit qu'il avait été l'instituteur de 4th grade[1] de David à Mason-Rice Elementary School, qu'il avait appris la nouvelle par le directeur de

---

1. CM1.

l'école et voulait savoir comment allait mon petit-fils, qui avait été l'un de ses élèves favoris.»

Nous y sommes.

«Et que lui avez-vous dit?

— Rien de plus qu'aux autres, et plutôt moins. Il était en route pour aller rendre visite à sa mère à Portsmouth et ne faisait que passer. Il est resté sur le seuil et n'a même pas enlevé son chapeau, ce qui m'a un peu surprise d'ailleurs. Je sais que, de nos jours, les gens manquent de savoir-vivre, mais un éducateur, tout de même, devrait avoir la courtoisie de se découvrir devant une dame.

— Lui avez-vous parlé du Vermont, de Kevin?

— Oui. Et il a paru très heureux pour David. Il m'a vanté les qualités des écoles publiques de l'État.

— Et vous a-t-il donné son nom?

— Absolument. D'ailleurs je l'ai griffonné quelque part. Un instant, je vais le trouver.»

Fran l'entendit ouvrir un tiroir, puis un autre, fouiller avant d'annoncer: «Jones! James Jones, un homme charmant. Il m'a dit de l'appeler Jim.

— À quoi ressemblait ce Mr. Jones?

— De taille moyenne, mince. Un visage plaisant, aux traits réguliers et à la peau un peu mate, avec des yeux gris et des cheveux brun foncé… du moins ceux qui dépassaient de son chapeau. Je dirais qu'il doit avoir la petite quarantaine.

— Avait-il un accent?

— Très léger, érudit, définitivement côte Est, mais sans pouvoir en dire plus.

— Vous avez aperçu sa voiture?

— Une berline japonaise comme il y en a tant, bleu métallique, Honda ou Toyota, je ne suis pas sûre.

— Et était-il seul?

— Je crois. En tout cas, je n'ai vu que lui. Mais les vitres de son automobile étaient fumées et je n'y ai pas prêté beaucoup d'attention. Il aurait pu y avoir un passager.

— Merci beaucoup, Louise. Tout cela est très utile. Je suis navrée de vous avoir bombardée ainsi de questions. Je vous prie seulement de m'appeler immédiatement si d'autres détails vous reviennent en mémoire, à propos de cette rencontre ou d'une autre, d'accord ?

— Je vous le promets.»

Elle hésita avant de demander, une note d'angoisse au fond de la voix : «Fran, ai-je commis une erreur en parlant de David à ces gens ?»

L'ancienne shérif prit une profonde inspiration.

«Non, Louise, je ne pense pas.»

Bien sûr, elle mentait.

40

Son corps de glace, son esprit en feu, Fran demeura un bref moment assise, sans bouger, devant l'écran noir de la télévision. Puis elle se leva d'un bond et se précipita à son ordinateur. Après une rapide recherche, elle saisit son portable et passa un appel à Newton. En quelques minutes, elle avait obtenu la confirmation de ses craintes.

Son deuxième coup de fil fut pour Kevin, qui répondit au bout de deux sonneries.

« Kev, où es-tu ?

— À la maison, en train de casser la croûte. Quoi de neuf, Fran ?

— Saute dans ta voiture et va chercher David à l'école. Dépêche-toi !

— Que se passe-t-il ? demanda la voix interloquée à l'autre bout du fil.

— Je t'expliquerai plus tard. Fais ce que je te dis. Immédiatement ! » Elle raccrocha et composa le numéro de la police locale.

« Sergent Hattaway. » Le ton de l'officier de garde était plus bourru que d'habitude.

« Matt, c'est Fran. Désolée de te déranger, mais de nouveaux développements dans l'enquête sur l'assassinat des parents du petit David Gallagher ont considérablement accru les risques d'enlèvement du gosse. Son oncle a été

209

prévenu et est en chemin pour le récupérer à l'école, mais entre-temps il faudrait y envoyer d'urgence une voiture de patrouille pour s'assurer que tout est en ordre. Vous êtes juste à côté, ça ne devrait pas être un problème.

— Ah, merde, Fran ! s'écria le policier. Tu tombes vraiment mal. Deux cyclistes viennent de se faire faucher sur Dorset Street par un chauffard qui ne s'est pas arrêté. Il y a un mort. Toutes mes unités sont sur les lieux ou en poursuite. Je ne peux en libérer aucune pour l'instant, je suis désolé.

— Je comprends, dit-elle en serrant les dents. Merci tout de même, Matt. Je te tiens au courant. »

Elle s'élança vers la porte d'entrée, dévala quatre à quatre les marches du perron et sauta dans sa Ford, faisant rugir le moteur avant même de refermer la portière. Conduisant d'une main, elle rappela Kevin.

« Heure d'arrivée prévue ? questionna-t-elle sans préambule.

— Environ dix minutes. Il y a des embouteillages dingues sur Dorset.

— C'est un accident. Prends Spear !

— Déjà fait. Vas-tu enfin me dire ce qui se passe ? »

Fran ne s'était jamais débarrassée de son gyrophare magnétique ni de sa sirène et, au mépris des règlements, faisait plein usage des deux, zigzaguant d'une voie à l'autre entre voitures et camions. Au détour d'un virage, elle dut freiner brutalement pour éviter de rentrer dans un tracteur.

En quelques phrases, elle relata son entrevue de la veille avec Malone et Caldwell, puis sa conversation avec Louise. Tout à sa propre conduite, Kevin l'écouta sans l'interrompre.

« J'ai vérifié avec Mason-Rice Elementary School. Ils n'ont aucun instituteur du nom de James Jones. Le professeur de 4th grade de David était une femme et s'appelle Jane Gillibrand. Et puis ça n'est pas par hasard que notre homme a choisi le pseudonyme de James Jones.

— L'arrière des Cleveland Cavaliers ? Tu penses que c'est un fan de basket-ball ?

— Ne sois pas idiot! Il faisait référence à James Warren Jones, le leader du culte Peoples Temple, responsable du meurtre-suicide en masse de neuf cent dix-huit de ses disciples, dont près de trois cents enfants, à Jonestown, en Guyane en 1978.

— Tu parles d'une carte de visite! OK, j'espère que tes craintes ne sont pas fondées, mais j'arrive à l'école. Je te rappelle dès que David est avec moi.

— Je serai là dans quelques minutes.»

41

Il était 13 heures lorsque Kevin arriva à l'école de David. Le rond-point devant l'entrée principale était presque désert et il n'eut aucune peine à trouver une place devant le grand mât peint en blanc au sommet duquel le *Stars and Stripes*, le drapeau des États-Unis d'Amérique, flottait dans une légère brise. Dans le coffret de la console centrale de sa voiture, son Colt et le chargeur supplémentaire, qu'il avait embarqués à la hâte avant de partir, étaient une présence à la fois rassurante et menaçante. Il voulait être prêt à toute éventualité mais espérait ne pas avoir à s'en servir.

Il sauta de l'habitacle et, sans prendre la peine de verrouiller la portière, se précipita vers les doubles portes en acier conduisant dans le hall. Appuyant sur le bouton d'accès, il força un sourire en direction de la caméra de surveillance et attendit impatiemment le déclic d'ouverture de la serrure. Quelques secondes plus tard, il était devant le comptoir du bureau d'accueil.

« Bonjour, Esther, dit-il un peu essoufflé à la secrétaire assise devant une batterie de téléphones et d'écrans vidéo.

— Hello, Kevin. Quel bon vent vous amène ? »

Un autre sourire forcé. « Je viens chercher mon neveu David. Nous avons une petite… urgence familiale.

— Bien sûr. Veuillez signer la feuille de sorties. Je vais appeler son institutrice. Il est bien dans la classe de Mrs. Sprague ?

213

— C'est cela, oui. Merci, Esther. »

Elle consulta d'un bref regard le programme des cours. « Voyons, de 12 h 30 à 13 h 30, il est en classe d'arts plastiques. » Elle décrocha le combiné et appuya sur l'une des touches.

« Bill ? dit-elle après un bref instant. C'est Esther. Kevin O'Hagan est ici. Il vient chercher son neveu, David Gallagher, pour le reste de la journée. Pourriez-vous me l'envoyer au bureau ? »

Elle fronça légèrement les sourcils en entendant la réponse, puis, levant les yeux vers Kevin, lui dit : « David s'est absenté de sa classe il y a quelques minutes pour aller récupérer sa gourde d'eau, qu'il avait oubliée sur le terrain de jeux à la fin de la récréation. Pour une raison que j'ignore, le professeur d'arts plastiques ne semble pas avoir été au courant que David ne devait pas quitter seul le… »

Kevin n'attendit pas la fin de la phrase. En deux enjambées, il était déjà dans le couloir menant à l'arrière du bâtiment. Courant le long des portes des classes de la middle school, ses pas résonnant sinistrement sur le linoléum, il sentait l'angoisse lui monter à la gorge. *Non, mon Dieu, pas ça ! Je vous en supplie.* Au bout du corridor, il ouvrit la porte d'un grand coup d'épaule et fit irruption sur la vaste esplanade contenant l'aire de jeux ainsi que les multiples terrains de soccer et de basket-ball, tous déserts à ce moment de l'après-midi. Reprenant sa course, il se dirigea vers le gazébo qui se dressait à un coin de l'aire et sur la table duquel les écoliers avaient l'habitude de laisser leurs bouteilles et gourdes d'eau durant la récréation. Il reconnut immédiatement celle de David, son nom marqué en grosses lettres sur le dessus, à côté de trois casquettes et d'une paire de lunettes de soleil.

Saisissant la bouteille, il balaya encore une fois l'esplanade du regard. Étant ouverte au public durant les week-ends et les vacances, elle n'était pas entourée d'une enceinte, mais bordée sur l'un des côtés par les bâtiments de l'école, sur deux autres par les arbres et buissons d'un petit bois et sur le quatrième par le parc de stationnement des enseignants et du personnel. Plissant les yeux, il scruta l'orée du bois, mais à cette distance, ne vit que branches et feuillage. Puis il s'élança vers le parking, où la plupart des places étaient occupées. Trottant d'un véhicule à l'autre, il eut tôt fait de constater qu'ils étaient tous vides d'occupants.

Peut-être David a-t-il fait un détour par les toilettes. Kevin repartit en direction de la porte de l'école, espérant voir émerger à tout instant la silhouette de son neveu. En vain. Il dut une fois de plus appuyer sur la sonnette et attendre le déclic pour tirer la poignée à lui et pénétrer dans l'édifice. Le couloir était également désert. Une nouvelle course, interrompue par un arrêt aux toilettes, qui étaient inoccupées, et il se retrouva au bureau d'accueil.

Esther était toujours derrière son comptoir, le visage maintenant un peu pâle. Un homme d'une cinquantaine d'années en survêtement de sport aux couleurs de l'école l'avait rejointe, ainsi qu'une fille blonde aux pommettes roses que Kevin ne reconnut pas. Tous trois avaient l'air inquiets.

«Il n'est pas sur l'aire de jeux», annonça-t-il, essoufflé. Levant la main, il ajouta : «Sa gourde était toujours là.»

L'homme se racla la gorge et lui tendit la main. «Je me présente, Dan Kowalski. Je suis le professeur d'éducation physique. Stephany, dont la classe est en cours de gym avec moi à cette heure-ci, a aperçu David il y a peu.» Il se tourna vers la gamine. «Répète à Mr. O'Hagan ce que tu nous as dit, s'il te plaît, Stephany.»

La petite fille rougit légèrement et hésita avant de prendre la parole en regardant timidement le bout de ses chaussures. «Mr. Kowalski m'avait envoyée récupérer deux ballons sur un des terrains de soccer à la fin du cours. J'ai vu David sous le gazébo qui parlait à une dame. J'étais pressée et je n'ai pas trop fait attention.» Elle leva vers lui des yeux où pointaient des larmes. «Je pensais que c'était une surveillante, ou un parent.»

Kevin lui mit une main sur l'épaule. «C'est bien naturel, dit-il d'une voix qu'il voulait rassurante, ne t'en fais pas. Mais dis-moi, les as-tu vus se diriger quelque part?»

Stephany secoua la tête. «Non. Mais je ne suis pas restée longtemps. Mr. Kowalski m'avait dit de me dépêcher.

— Et cette dame à qui David parlait, à quoi ressemblait-elle? Jeune, vieille, petite, grande, grosse, mince?»

La gamine fit une moue sérieuse et réfléchit un instant. «Je ne l'ai pas bien vue. Mais je dirais qu'elle était plutôt costaud et grande, plus grande que vous, Mrs. Esther, et aussi plus âgée, pas loin de l'âge de ma mère.

— Et quel âge a ta mère?

— Quarante-quatre ans.

— As-tu vu son visage? La couleur de ses cheveux?

— Son visage, non, j'étais trop loin. Mais elle avait des cheveux jusqu'aux épaules. Des cheveux roux, presque rouges.»

42

Tout à sa conversation avec la fillette, Kevin n'avait pas entendu l'indicateur sonore de la porte d'entrée. Soudain, il sentit une présence derrière lui.

«Qu'est-ce que j'ai manqué?» voulut savoir Fran.

Ce fut au tour de Kevin de mettre l'ex-shérif au courant des derniers développements.

«Je vais prévenir la police, annonça Esther, visiblement ébranlée, une fois le récit terminé. Il faut lancer une AMBER Alert.

— N'en faites rien, je m'en occupe», répondit Fran en lui montrant rapidement son ancien badge. Et avant que la secrétaire puisse objecter, elle entraîna Kevin par le bras vers la sortie.

«Peux-tu me dire ce que tu fais? demanda celui-ci à peine furent-ils dehors. Esther a raison, il faut prévenir les autorités immédiatement, lancer un avis de recherche, établir des barrages routiers. Ils ne peuvent pas être loin.»

Sans relâcher sa prise sur le bras de Kevin, Fran le regarda droit dans les yeux.

«Je devrais être la dernière personne à te dire ça, lança-t-elle sur un ton calme sans réplique, mais n'appelle ni la police ni le FBI. Tu signerais l'arrêt de mort de David. S'il s'agit bien du cinglé auquel nous pensons, ce qui me semble maintenant indubitable, il n'en est pas à son coup

217

d'essai, et n'a aucune intention de libérer l'enfant. Ça n'est pas son mode opératoire.

— Mais on ne peut pas demeurer là sans rien faire pendant que ce taré torture David!» protesta Kevin, les yeux agrandis par l'angoisse. Le visage pâle, la respiration courte, il était au bord de l'affolement.

Fran serra son bras un peu plus fort, son regard toujours fixé sur lui.

«Il n'en est évidemment pas question. Mais dans tous les cas précédents, les forces de l'ordre ont été contactées, des recherches entreprises. Et pour aboutir à quoi? Seuls les corps ont été retrouvés, à l'endroit et au moment précis où le criminel l'a voulu. Au minimum, il dispose d'un scanner de police et peut entendre en *live* les conversations entre les voitures de patrouille et la centrale. Nous n'avons pour l'instant aucune information sur le véhicule utilisé pour l'enlèvement, plus que probablement une voiture volée et déjà échangée pour une autre, et le signalement de la femme qui a emmené David est bien trop vague pour être vraiment utile.

— Mais Louise t'a donné une description de l'homme. Tu me l'as dit toi-même!»

Kevin tremblait de rage et de frustration. Il voulait agir, foncer à la poursuite des malfaiteurs, sillonner les routes, battre la campagne. Où et comment, il n'en avait aucune idée. Mais tout lui semblait mieux que l'inaction.

«Passable, oui, et j'ai immédiatement contacté Malone qui m'a promis d'envoyer à Gloucester un technicien en identification criminelle pour établir un portrait-robot. Mais dans l'attente de celui-ci, les détails fournis par Louise peuvent s'appliquer à des milliers de types. Et il est peu probable qu'il soit dans la même voiture que sa complice et David.

— Qu'est-ce que tu veux dire?

— Que le timing de l'accident sur Dorset, qui a monopolisé la police locale, n'est vraisemblablement pas un hasard. À mon avis, c'est ce salopard qui a fauché les deux cyclistes. Il a ainsi créé une parfaite diversion et empêché l'envoi d'une voiture de patrouille ici avant ton arrivée, qui aurait été susceptible de prévenir l'enlèvement. Cet accident retarde suffisamment toute future intervention, même avec la coopération des forces de police des villes voisines, pour rendre l'établissement de barrages routiers parfaitement inutile. Vu le nombre de routes secondaires, chemins ruraux et la proximité de Lake Champlain, dont la traversée jusqu'à la rive new-yorkaise peut se faire en une dizaine de minutes avec un bateau à moteur, les kidnappeurs ont toutes les chances d'être en lieu sûr avant même qu'un dispositif soit en place.

— Donc on reste les bras croisés? s'exclama Kevin d'une voix déchirée.

Son teint était devenu cireux et de grosses gouttes de sueur perlaient à son front et à ses tempes. Pris de vertige, il chancela vers un banc sur lequel il se laissa lourdement tomber. Un tic nerveux contractait le coin de ses lèvres tandis qu'il peinait à respirer par à-coups rauques.

Merde, il est en pleine attaque de panique! Fran se précipita vers son pick-up et revint aussi vite, une bouteille d'eau à la main. Après s'être assise à côté de Kevin, elle retira un mouchoir de sa poche, l'humecta d'eau et entreprit de tapoter légèrement son front.

«Respire, Kev, dit-elle d'une voix douce mais ferme. Ça va passer. Respire à fond. Je suis là, ne t'en fais pas. Essaie de te détendre.»

Plusieurs minutes s'écoulèrent avant que les traits de Kevin se décontractent et que sa respiration redevienne normale. Se tournant vers sa vieille amie, il lui sourit faiblement.

«Pardonne-moi, souffla-t-il. Je ne sais pas ce qui m'a pris.»

Fran lui rendit son sourire.

«Tu t'es payé une bonne crise d'angoisse, ça peut arriver à tout le monde. Tu te sens mieux?»

Kevin se passa lentement une main sur le visage.

«Oui… Mais pendant un instant j'ai cru avoir un infarctus.»

L'ancienne shérif saisit une flasque en acier dans sa veste, la déboucha et but une longue rasade avant de la tendre à Kevin. Sans un mot, celui-ci la prit d'une main encore tremblante et avala plusieurs gorgées de scotch.

«OK, maintenant ça va vraiment mieux», dit-il avec un long soupir.

Fran le regarda attentivement. Il avait repris des couleurs et ne transpirait plus.

«Tu penses être en état de conduire?»

Kevin fit signe que oui.

«Bien. Suis-moi.

— Où allons-nous?

— Chez moi.»

43

Sur la longue table de la salle à manger était étalée une carte d'état-major représentant le Vermont, ses trois États voisins – New York, New Hampshire et Massachusetts, ainsi que le sud de la province canadienne du Québec. Après avoir apporté une carafe de citron pressé glacé et deux verres, Edna s'était éclipsée discrètement dans le jardin. Leurs longues années d'union lui avaient appris à ne pas interférer avec Fran lorsque celle-ci était sur la piste d'un criminel. Qu'elle fût à la retraite ne changeait rien. Shérif un jour, shérif toujours.

«Depuis hier, j'ai pu étudier les dossiers des agressions précédentes, dit Fran sur un ton strictement professionnel, et dans chacun des cas, le corps de la victime a été retrouvé dans un rayon de quatre-vingts miles du point d'enlèvement de l'enfant. Entre une et deux heures de voiture, suivant le type de routes utilisées et le trafic.»

Lançant un coup d'œil à Kevin, elle constata avec satisfaction qu'il avait retrouvé son sang-froid. Les poings sur la table, la crosse noire de son Colt dépassant de sa ceinture, il fixait intensément la carte, comme s'il tentait d'y apercevoir David.

«Et dans chaque cas également, poursuivit-elle, il n'y a pas eu de tentative de dissimuler ou d'enfouir le corps. Au contraire. Les lieux, s'ils étaient tous suffisamment discrets,

221

au moins pendant la nuit, et sans surveillance humaine ou électronique, étaient néanmoins de nature à permettre une découverte dans les vingt-quatre à quarante-huit heures.
— Il voulait que les corps soient repérés. Mais pourquoi ? Par défi ? »
Fran hocha la tête.
« Il ne serait pas le premier tueur en série à narguer ainsi les autorités. Mais je crois qu'il y a plus que de l'arrogance derrière cette pratique. Réfléchis. Une fois l'enfant entre les mains du prédateur, les phases les plus dangereuses du kidnapping sont le trajet entre le lieu de l'enlèvement et le repaire du criminel et ensuite celui entre son repaire et le lieu où il dispose du corps une fois son méfait accompli. S'il semble logique pour celui-ci de s'éloigner le plus possible du point de départ des recherches, chaque mile parcouru comporte le risque de croiser une patrouille, de rencontrer un barrage routier ou simplement d'être reconnu par un civil. J'en veux pour preuve le fait que les deux fois où Ted Bundy fut appréhendé, dont la dernière en Floride, ce fut au volant lors de contrôles de routine par une voiture de police. Je suis convaincue que si les corps ont tous été abandonnés à une distance maximale de quatre-vingts miles des lieux des enlèvements, c'est parce que la planque du criminel se situait chaque fois dans les parages, ni trop près ni trop loin. Une fois son crime parachevé, il abandonne le corps non loin, minimisant ainsi le risque de se faire interpeller avec un cadavre dans son coffre et fixant l'attention de la police et de la presse sur un point géographique qu'il quitte ensuite pour se rendre dans une nouvelle région encore vierge de ses méfaits. Un nouveau lieu, une nouvelle cachette, une nouvelle victime. »
Kevin regarda sa montre, qui marquait 14 h 20. « David a été enlevé peu avant 13 heures. Si ta théorie est exacte, ils devraient bientôt arriver dans la tanière de cette ordure. » Il

eut un haut-le-cœur en pensant à ce qui attendait son neveu.
« Nous n'avons guère de temps. »

Fran ne le savait que trop. Sous ses dehors d'ancienne
flic imperturbable, elle était elle aussi rongée par l'angoisse.
D'autant plus que, contrairement à son ami, elle connaissait dans leurs moindres détails toutes les tristes statistiques
concernant les rapts d'enfants. Et avait été confrontée
à maintes reprises à leurs victimes – ou ce qui en restait.
Mais malgré la révulsion que chaque cas avait suscitée en
elle, son implication avait toujours été strictement professionnelle. Cette fois-ci, c'était personnel et d'autant plus
pénible à gérer. Non seulement elle avait une affection réelle
pour David, mais encore Kevin était son meilleur ami.

À l'aide d'un compas, elle traça sur la carte un cercle cen-
tré sur l'école de David. « Ça fait du terrain à parcourir. Il
pourrait se trouver aussi loin que Saint-Jean-sur-Richelieu,
dans la province du Québec, au nord, Granville, dans l'État
de New York, au sud, ou encore Bradford, à l'est ou Tupper
Lake à l'ouest. Il est peu probable qu'il prenne le risque de
passer la frontière avec le Canada, mais, sans plus d'information à notre disposition, et même avec l'aide de toutes les
polices de la région, des *state troopers* et du FBI, cela revient,
dans un territoire aussi montagneux et boisé que le nôtre,
à chercher la fameuse aiguille dans la botte de foin ! »

Kevin secoua la tête

« Fran, tu as des contacts partout, y compris chez les Feds.
Ne peux-tu pas au moins avertir ceux à qui tu fais le plus
confiance ? Les prier d'être discrets ? Peut-être auraient-ils
des informations qui pourraient nous aider.

— Il y a des procédures, Kevin. Les flics, comme tout le
monde, veulent préserver leur job et éviter les poursuites en
justice. Le moment où je parle de cet enlèvement, un BOLO
sera diffusé, une AMBER Alert mise en place. Comme je te
l'ai dit, tout ça n'a pas aidé les autres gosses que ce monstre

a enlevés. De plus, le FBI n'a qu'une douzaine d'agents dans l'État, dont trois ou quatre seulement sont spécialisés en crimes contre les personnes. Les maigres effectifs de la police locale sont pour l'instant entièrement occupés par l'accident sur Dorset Street. Le temps de rameuter tout le monde, ce salaud sera bien au chaud dans son refuge au milieu de n'importe où.

— Que suggères-tu, alors? s'emporta-t-il, à bout de patience. Le temps joue contre nous et David est en danger de mort!»

Sans répondre, elle se dirigea vers son ordinateur portable, posé à l'écart sur un coin de la table. Ses doigts commencèrent à voler sur les touches. «Grâce à certains de ces contacts dont tu parles, j'ai pu conserver mon accès aux sites réservés aux forces de l'ordre. Je vais d'abord vérifier les récents avis de vols de voiture dans la région…»

Elle avait à peine commencé sa recherche que le téléphone de Kevin se mit à sonner. Il sursauta et le retira avec empressement de sa poche. L'écran affichait «Non inscrit.» Son cœur battant la chamade, il appuya sur la touche du haut-parleur.

«Allô?

— Mr. O'Hagan? s'enquit une voix d'homme aux modulations graves.

— C'est moi, dit Kevin, la gorge serrée.

— Votre neveu est entre mes mains. Pas un mot à la police ou vous ne le reverrez pas vivant. Et dites à votre amie, Frances Murray, de ne rien tenter non plus, sinon l'enfant payera le prix fort. Est-ce bien clair?

— Très clair, lâcha Kevin en faisant un effort pour rester maître de lui.

— Vous aussi, Mrs. Murray!

— On ne peut plus clair, renchérit Fran d'une voix forte.

— Rassurez-vous, je ne veux aucun mal à David, loin de là, continua l'homme avec un gloussement malsain. J'ai tant de choses à lui faire découvrir. S'il est obéissant, et si vous n'alertez pas les flics ni cherchez à le retrouver, je vous le retournerai sain et sauf. Dans le cas contraire, je serai sans pitié. »

Au bord de la nausée, Kevin tenta : « Puis-je lui parler ? J'ai besoin de savoir qu'il est vivant ! »

Au bout du fil, on entendit des paroles étouffées par une main posée sur le microphone du combiné. Puis David, la voix blanche mais calme : « Oncle Kevin ?

— David, mon grand, tu vas bien ? Tu n'es pas blessé ?

— Non, ça va. J'ai peur... »

Derrière lui, la voix du kidnappeur ordonna : « Dis au revoir maintenant.

— Je t'aime, oncle Kevin, s'empressa d'ajouter l'enfant. N'oublie pas d'aller nourrir Gaston. »

Et puis plus rien, juste la tonalité.

Kevin se laissa tomber sur une chaise, les yeux rivés au sol. « C'est un cauchemar ! » gémit-il.

Fran lui posa une main sur l'épaule.

« Au moins, il ne l'a pas encore touché, dit-elle, autant pour le rassurer que pour refouler une vague de désespoir menaçant de l'envahir.

— Mais nous ne savons pas où chercher ! s'exclama Kevin. Tu l'as dit toi-même, il peut être n'importe où sur un territoire couvrant plus de vingt mille miles carrés ! »

Les yeux baissés, Fran ne répondit pas. Faisant appel à toute son expérience et à ses longues années de pratique, elle tentait furieusement d'organiser ses pensées et de repasser mentalement en détail la conversation qui venait d'avoir lieu.

Elle leva soudain le regard.

« Qui est ce Gaston dont David a parlé ?

— Hein, quoi ? Gaston ? C'est un pélican, l'un des personnages des histoires que je lui raconte tous les soirs. Celles qu'il m'a persuadé d'écrire et qu'il avait commencé à illustrer.

— Et pourquoi penses-tu qu'il t'ait ainsi demandé d'aller le nourrir ? Ça ne semble pas faire beaucoup de sens.

— Je ne sais pas. La panique a dû lui faire dire n'importe quoi.

— Il ne m'avait pas l'air d'être paniqué. Ce qui est d'ailleurs remarquable, compte tenu des circonstances. Peut-être voulait-il faire passer un message, que toi seul pourrais comprendre ? Où vit-il, ce pélican ?

— À Malibu, en Californie. Au pied de la falaise de Point Dume, qui tombe abruptement dans la mer.»

À peine eut-il prononcé ces mots que son visage s'éclaira. En un éclair, il fut sur ses pieds. Se précipitant sur l'ordinateur de Fran, il tapa fébrilement sur le clavier.

«Bon sang, tu as raison! David vient de nous indiquer l'endroit où ce salaud l'a emmené», lâcha-t-il entre ses dents serrées. Des photos sous plusieurs angles du fameux promontoire remplirent rapidement l'écran et il les montra à Fran.

«Connais-tu une colline ou une falaise ressemblant à celle-ci dans le coin?»

Silencieusement, Fran contempla un moment les photos. Puis elle se dirigea vers la carte, la parcourant çà et là du doigt et du regard. Après quelques secondes, son doigt s'arrêta.

«Rattlesnake Point, annonça-t-elle. À Satan's Kingdom.»

PARTIE IX

44

Kevin était resté éveillé toute la nuit, incapable de dormir ou de penser. Il avait essayé de pleurer, mais n'y était pas parvenu non plus. L'esprit engourdi et le cœur figé, allongé sur ce lit qu'il ne partagerait désormais plus, il avait des heures durant contemplé le plafond sans le voir. Dans le silence de la nuit, le tic-tac du réveil faisait écho au battement du sang dans ses tempes, seules indications que le temps s'écoulait et que lui était toujours vivant. Après une éternité, l'obscurité s'était lentement dissipée et avait laissé place au soleil neuf du matin. À regret, il s'était ébroué de sa torpeur et était allé réveiller Nora à l'heure habituelle. Encore ensuquée, elle était descendue en pyjama prendre son petit déjeuner, son Teddy Bear serré contre sa poitrine. Elle s'était assise au comptoir de la cuisine et avait commencé à manger paresseusement les céréales qu'il lui avait préparées.

Il cherchait encore une façon de lui annoncer la mort de sa mère quand elle avait demandé : «Où est maman? Encore endormie ou déjà au bureau?»

Il l'avait regardée, déchiré par l'énormité du chagrin qu'il était sur le point de lui causer, et ses yeux s'étaient remplis de larmes.

«Maman est partie, ma chérie.

— En voyage ?» avait-elle insisté, la bouche pleine de céréales, les yeux si innocents sous ses sourcils en circonflexe.

Une vague de froid lui avait parcouru le corps, comme si la Faucheuse elle-même l'avait effleuré de son doigt squelettique.

«Non, mon amour, maman est partie au ciel.» Et, baissant les yeux, vaincu par la réalité, il avait ajouté à mi-voix : «Maman est morte.»

Elle l'avait dévisagé sans comprendre. Il s'était rapproché d'elle.

«Morte ? Comme Mr. Mouse ?»

C'était sa souris blanche, qui s'était enfuie de sa cage et avait été dévorée par une buse l'année précédente.

«Oui, ma chérie. Je suis désolé.

— Pourquoi ? Comment ?» Elle avait crié ces mots, son visage soudain distordu par l'horreur.

«Un accident de voiture, la nuit dernière.»

Nora s'était jetée en bas de sa chaise et, le visage inondé de larmes, s'était précipitée dans ses bras. À genoux sur les dalles froides de la cuisine, il l'avait enlacée tandis qu'elle pleurait éperdument. Caressant doucement ses cheveux, il lui avait murmuré à l'oreille tout son amour, ainsi que des mots de réconfort auxquels il ne croyait pas lui-même.

Soudain elle l'avait repoussé et, ses yeux fixés durement sur lui, avait craché : «Je veux ma maman ! Rends-moi ma maman !

— Je ne peux pas, ma chérie, avait-il répondu en ravalant sa douleur. C'est impossible…

— C'est pas vrai, tu mens ! Tu es méchant, papa. Fais-la revenir !» Hurlant à pleins poumons de détresse et de rage, elle l'avait roué de coups de poing et de pied, puis avait labouré ses bras et son visage de ses petits ongles acérés et lui avait mordu le cou jusqu'au sang.

Il l'avait étreinte du mieux qu'il avait pu et tenté de la calmer.

«Maman est avec les anges, ma chérie. Désormais, elle nous regardera de là-haut et veillera sur nous. Elle vivra toujours dans nos cœurs et notre mémoire.»

Elle avait continué à hurler et à se débattre, luttant physiquement autant que mentalement contre cette nouvelle qu'elle ne pouvait ni ne voulait accepter. Puis finalement, à bout de forces, elle s'était affalée contre sa poitrine et ils avaient tous deux sangloté longuement, épanchant toutes les larmes de leur cœur. Ils n'avaient fait qu'un, alors, et depuis ce moment-là, jusqu'au départ de Nora pour l'université, leur lien avait été indestructible.

45

Fran avait tôt fait de télécharger une multitude de prises de vue aériennes et photos satellite de la montagne qui dominait la rive est de Lake Dunmore, à dix miles au sud-est de Middlebury, dans le comté d'Addison. Plus il les examinait et plus Kevin était frappé par la ressemblance entre l'à-pic de granit surmontant le massif et la falaise de Point Dume.

« En plein dans ton ancien fief, remarqua-t-il.

— Tu peux le dire, je connais le terrain comme ma poche. »

Elle scrutait chaque détail des clichés en se frottant les mains, soulagée de ne plus être dans l'expectative et excitée d'enfin pouvoir passer à l'action, son appréhension temporairement reléguée à un rôle de contrepoint.

Kevin l'observa avec des sentiments partagés. À l'espoir et au soulagement que la localisation de David avait fait naître se mêlait la peur lancinante de ne pouvoir le secourir à temps.

« Je dois admettre que notre salopard a fait un choix de planque judicieux. Lake Dunmore est une destination estivale très prisée par les locaux comme par les touristes. De nombreuses villas et cottages de week-end et de vacances sont disséminés dans les bois qui l'entourent, à l'abri des regards indiscrets, et il y a peu de résidents à l'année. Des visages inconnus n'y attirent donc pas l'attention, comme ça serait le cas dans un bled du Northeast Kingdom, où la plupart des habitants sont établis depuis des générations. Sans compter que la proximité de plusieurs routes, dont la 7 et la 116, permet un accès et une fuite faciles.»

Elle fit une brève pause, avant de demander :

«Tu dis que Gaston vit au pied même de la falaise, n'est-ce pas ?

— C'est exact, contrairement à ses congénères qui nichent au sommet.

— Excellent. Comme tu le vois sur cette image satellite, Rattlesnake Point est entièrement boisé et essentiellement inhabité. Aucune route ne conduit à son sommet. Il y a bien quelques sentiers et pistes, mais elles ne peuvent être empruntées qu'à pied et mènent plutôt vers Silver Lake, au sud. Et s'il se trouve quelques habitations le long de Goshen-Ripton Road, au bas de la pente opposée du massif par rapport au lac, elles sont à mon avis trop éloignées de la falaise pour représenter une incarnation plausible de l'habitation de votre Gaston. Ne reste donc qu'une poignée de maisons adossées à la montagne le long ou légèrement au-dessus de Lake Dunmore Road.» Elle tapa la photo du doigt. «C'est là qu'ils se cachent !»

«Et s'ils font l'erreur de garer leur véhicule volé à l'extérieur, ajouta-t-elle en indiquant une application de recherche sur son portable, il sera d'autant plus facile d'identifier précisément leur repaire.

— Cela semble peu probable, non ? N'as-tu pas dit toi-même que ce maniaque est d'une intelligence supérieure et ne laisse rien au hasard ?»

Fran eut un sourire carnassier.

«Même les génies commettent des bourdes. Permettre à David de te parler en fut une de taille. Et puis n'oublie pas que nos lascars doivent toujours prévoir une fuite rapide.» Elle lui donna une claque sur l'épaule. «Tu es prêt? Nous avons assez gaspillé de temps.»

Kevin se leva et la regarda droit dans les yeux. «Fin prêt. Allons chercher David. Je veux la peau de cette ordure.»

46

La chambre au sous-sol sentait l'humidité. Tapissée de bois, le plancher recouvert d'une moquette gris bleu, elle était sombre même en plein jour. Un plafonnier poussiéreux et deux petites lucarnes obstruées par les herbes hautes luttaient faiblement contre la pénombre.

Sans ménagement, la femme rousse poussa David dans la pièce. Il trébucha et dut se retenir au cadre métallique du lit pour ne pas tomber.

« Déshabille-toi, ordonna-t-elle d'une voix revêche. Tu pues la pisse ! Je reviendrai te chercher pour ton bain. Il te veut propre. »

Elle referma la porte d'un coup sec et la verrouilla à double tour.

David frissonna. Malgré la chaleur printanière, le sous-sol était froid. Et puis il avait peur. Une peur d'animal que l'on mène à l'abattoir et qui sait sa fin proche et redoute autant la torture des derniers moments que le coup de grâce de la fin.

Lentement, il passa son t-shirt par-dessus sa tête et regarda autour de lui. À part le lit, décoré d'une courtepointe délavée, le seul autre meuble était une chaise en bois blanc. Il déposa son t-shirt sur le dos de la chaise, puis déboutonna son short et le fit glisser par terre, suivi par son caleçon. Tous deux étaient saturés d'urine, car, dans la

237

terreur de l'enlèvement, il n'avait pu contrôler sa vessie. Il hésita, puis les plaça à côté de son t-shirt.

Nu et complètement vulnérable, il s'assit sur le bord du lit, cachant instinctivement son sexe de la main. Il avait envie de pleurer, mais se l'interdit. S'il voulait survivre jusqu'à l'arrivée des secours, il lui fallait garder la tête froide et ne pas succomber au désespoir, quoi qu'il advienne. Ses parents étaient morts pour le protéger de ces démons, et il ferait tout pour que ce ne fût pas en vain. Son sort immédiat était entre les mains de cet homme sombre au regard de glace et de son effrayante complice, mais sa vie dépendait de son oncle. Avait-il compris son message ? L'information était-elle suffisante pour lui permettre de le localiser ? Il ne devait ni ne pouvait en douter.

Comment avait-il eu la présence d'esprit d'utiliser les aventures de Mina pour signaler son emplacement ? Il s'en étonnait encore. Avant de lui tendre le téléphone, l'homme avait appuyé la lame d'un couteau sur sa carotide, si fort que le sang avait perlé. Le message était clair : à la moindre incartade, il aurait la gorge tranchée. Néanmoins, il avait osé, tablant sur le fait que son ravisseur ne pourrait comprendre le sens caché de ses paroles. Et surtout sachant fort bien que c'était sa seule chance de survie.

Il lança un regard anxieux vers la porte. Bientôt, la femme rousse serait de retour. Malgré tout ce qu'il savait de la cruauté de l'homme, elle lui inspirait encore plus de peur. Il y avait dans ses yeux de jade quelque chose de dément, incontrôlable et sans pitié, comme dans ceux d'une bête enragée. Si l'homme était un crotale, elle était un pitbull.

Cela, il ne l'avait pas remarqué quand elle s'était approchée de lui sur l'aire de jeux, sourire aux lèvres. Baissant ses gardes, il avait été charmé par le jeune chien qu'elle promenait paisiblement en laisse, un adorable beagle au regard doux. Lorsqu'elle était parvenue à sa hauteur, David s'était accroupi pour caresser l'animal, qui lui avait fait la fête. Puis, levant les yeux, il avait croisé le regard de la femme et avait compris, avant même qu'elle ne sorte le pistolet du sac à main qu'elle portait en bandoulière et le pointe sur sa tempe. Elle tenait l'arme près de son corps, de façon que lui seul pût la voir.

«Suis-moi et pas un cri!» avait-elle intimé sèchement, sans se départir du sourire affable dont elle s'était affublée.

Il était resté tétanisé sur place, cherchant désespérément du regard une présence susceptible de venir à son secours. Le pistolet s'était brusquement rapproché de sa tête.

«Maintenant!» Le ton était sans appel. Il s'était levé lentement et elle s'était positionnée à ses côtés, l'arme dans une main, la laisse du chien dans l'autre. De loin, ils auraient pu passer pour mère et fils en promenade.

Épouvanté, David n'avait d'abord pensé qu'à une seule chose: s'enfuir. Mais la pression du pistolet dans ses reins lui avait rappelé qu'il serait mort avant d'avoir fait deux pas. À l'approche du parking, il s'était mis à espérer qu'ils croiseraient quelqu'un. Mais il n'y avait eu personne.

Arrivés à la hauteur d'une vieille Nissan Maxima noire, la femme avait décroché la laisse du collier et donné un coup de pied à l'animal, qui s'était enfui en glapissant. «File, sale bête!» L'arme appuyée contre le creux du dos de David, elle avait sorti une clé de son sac et déverrouillé le coffre du véhicule.

«Grimpe!» avait-elle, ordonné, accentuant ses mots d'une pression renouvelée de son pistolet.

Les jambes molles, David avait enjambé le pare-chocs. À part une couverture étendue sur le fond, le coffre était vide et sa taille lui avait permis de s'allonger en chien de fusil sans trop de difficulté. Sitôt qu'il eut été installé, la femme avait refermé le battant d'un claquement sec. L'air était étouffant dans l'espace confiné, et David avait été saisi de claustrophobie, puis de panique lorsque la voiture avait démarré. Dans le noir, il s'était retourné et contorsionné, le souffle affolé, cognant sa tête et ses genoux, griffant les parois de l'habitacle, donnant des coups de pied, en une futile tentative de s'échapper. Sur le moment, il n'avait même pas senti l'urine couler le long de ses jambes. Pris au piège, il s'était débattu.

Mais au fur et à mesure que ses yeux s'étaient habitués à l'obscurité, il avait perçu de petits rayons de lumière provenant de trous percés dans la cloison qui le séparait de la cabine. Collant ses lèvres à l'un d'eux, il avait aspiré goulûment l'air conditionné. Petit à petit, le rythme de son cœur s'était ralenti, sa respiration s'était apaisée. La température régnant dans le coffre s'était elle aussi abaissée et la lumière provenant des orifices avait rendu la pénombre moins menaçante.

Il s'était positionné du mieux qu'il avait pu, protégeant tant bien que mal sa tête contre les chocs secouant la voiture chaque fois qu'elle passait sur un nid-de-poule, et avait regardé périodiquement sa montre, à la fois pour maintenir un contact avec la réalité et pour se faire une idée de sa destination. Au début, il avait même tenté de calculer l'orientation de leur véhicule en fonction des virages négociés. Mais il avait vite perdu le fil. Il se doutait aussi que sa kidnappeuse n'emprunterait probablement pas la route la plus directe vers leur destination, que ce soit pour éviter des zones de contrôle de police ou pour le désorienter. Une fois passée sa crise de panique, il n'avait plus pleuré, mais vaillamment gardé son sang-froid. Refusant de penser au sort qui l'attendait, il s'était mentalement préparé à exploiter toute faille dans le dispositif de ses ravisseurs en restant attentif aux moindres détails. Il avait sorti de sa poche une barre de céréales, qu'il avait gardée pour son snack de 14 heures, et l'avait mangée, pas par faim, mais pour s'occuper.

Après un peu plus d'une heure de route, la voiture avait fortement ralenti, pris un virage à gauche en épingle, immédiatement suivi par un second à droite, et s'était engagée sur une pente fortement inclinée. Quelques secondes plus tard, le véhicule s'était arrêté et le moteur s'était éteint. Il avait entendu la portière s'ouvrir puis se refermer, des bruits de pas rejoints par d'autres, une brève conversation entre la femme et une voix d'homme dont il n'avait pu discerner le sens. Quelques pas supplémentaires et tout d'un coup la porte du coffre s'était ouverte, l'inondant d'une lumière vive qui l'avait fait cligner des yeux. À contre-jour, deux ombres s'étaient penchées sur lui et, le saisissant sous les épaules, l'avaient extirpé sans ménagement de sa prison temporaire.

«Tu as fait bon voyage, j'espère?» avait demandé l'homme, qu'il reconnut immédiatement. David avait dit oui. Qu'aurait-il pu répondre d'autre?

La voiture était parquée sur le côté d'un cottage en bois sombre au toit recouvert de bardeaux et aux fenêtres occultées par des rideaux. Du plat de la main, l'homme l'avait poussé vers la porte de derrière entrouverte. «Ne nous attardons pas. Entre!» Faisant semblant de trébucher, David s'était retourné à moitié, et avait jeté un regard furtif sur les alentours. La maison était entourée d'une dense végétation et adossée à une montagne fortement boisée. Il avait levé les yeux et, avant que la porte ne se referme sur lui, avait aperçu, au sommet, une falaise aux allures familières.

47

Le garage attenant à la résidence de Fran et Edna était aussi méticuleusement propre et rangé que le reste de leur demeure. Tout un côté était occupé par un long établi surmonté de panneaux perforés où étaient suspendus, assortis par types et tailles, une impressionnante collection d'outils en tout genre. Sous la table, des tiroirs étiquetés contenaient vis, boulons, joints et pièces détachées.

Fran se dirigea vers le pan de mur opposé auquel étaient adossés plusieurs vélos tout-terrain et une armoire-coffre massive. Avec une dextérité née de l'habitude, elle composa la combinaison sur le cadran circulaire du coffre et tira vers elle la poignée de la lourde porte. Sur la face intérieure de celle-ci étaient accrochées une douzaine d'armes de poing de tailles et calibres variés. À l'intérieur du coffre lui-même, cinq fusils et carabines étaient alignés verticalement sous une étagère remplie de boîtes de munitions, étuis à pistolet et lunettes de visée.

Kevin siffla d'admiration. Même en ayant grandi dans le Vermont, où les armes à feu sont presque aussi courantes que les moustiques en été et la neige en hiver, il ne pouvait cacher sa surprise devant l'arsenal de l'ex-shérif.

«Tu te prépares pour une invasion du Canada ?

— Je n'aurais pas dû rendre mon gilet pare-balles, grommela-t-elle en ignorant sa remarque, on ne sait jamais quand on va en avoir besoin. Enfin, on fera avec ce que l'on a. » Elle saisit une carabine de chasse Browning BAR Mark II Safari et la tendit à Kevin. « Tu sais encore t'en servir, j'espère. Elle est chargée avec des balles Winchester .338 pour gros gibier, trois dans le magasin et une dans le canon. »

Kevin secoua la tête, tapotant la crosse de son pistolet. « Pas besoin. J'ai déjà tout ce qu'il faut.

— La vieille pétoire de ton père a autant de chances de t'éclater au visage que d'atteindre sa cible, insista Fran. Avec ma Browning, il n'y a pas de risque. »

Après quelques secondes d'hésitation, Kevin prit l'arme, la soupesa, caressa la surface familière de la crosse. « Ça me rappelle bien des souvenirs, murmura-t-il.

— Oui, mais, cette fois, ça n'est pas le cerf que l'on va chasser. Prends aussi ces deux chargeurs supplémentaires, au cas où. »

Elle attacha un étui à sa cuisse droite et, après avoir vérifié qu'il était chargé, y glissa un Glock 22. Puis, ouvrant un sac à dos en grosse toile noire, elle le remplit de deux lunettes monoculaires de vision nocturne Armasight Spark-G, complètes avec sangles de tête et courroies de menton, une lampe torche Maglite, trois grenades incapacitantes M84, une barre d'explosif C4 et plusieurs détonateurs, une demi-douzaine de chargeurs pleins pour son pistolet et deux chargeurs courbes translucides garnis de trente cartouches de 5,56 × 45 mm OTAN chacun, une trousse de premier secours et son ordinateur portable. Elle se munit enfin d'un fusil d'assaut SIG SG 550 équipé d'un viseur point rouge ROMEO4 H et referma d'un coup de hanche la porte du coffre.

« Tu n'y vas pas à la légère, commenta Kevin en pointant du doigt l'arme militaire.

— J'aime être préparée. Après vingt ans de service, c'est toujours l'un des meilleurs fusils d'assaut jamais construits, combinant la précision du M16 avec la fiabilité du AK-47. Tu peux faire confiance aux Suisses. En matière de montres ou d'armes à feu, ils ne chipotent pas sur la qualité. »

Elle décrocha deux vestes de chasse camouflées d'un porte-manteau fixé au mur et les lança à Kevin. «L'une d'elles devrait t'aller, elle appartient à mon beau-frère qui est à peu près de ta taille. Allez, on y va.»

Le fusil dans une main, le sac dans l'autre, elle se dirigea vers la porte grande ouverte du garage, suivie par Kevin. Une fois leur équipement et leurs armes placés sur le siège arrière de sa Ford, Fran retourna dans la maison pendant que Kevin faisait les cent pas dans l'allée. Elle revint plusieurs minutes plus tard avec une glacière, qui alla rejoindre le sac sur la banquette.

«Tu en as mis du temps! remarqua Kevin impatiemment.

— J'ai dit à Edna de ne pas m'attendre pour dîner, répondit l'ex-shérif, en grimpant dans la cabine du pick-up, et j'ai préparé quelques sandwichs.

— Des sandwichs? On ne part pas pour un pique-nique!»

Elle lui fit un clin d'œil. «"Toujours prêt" n'est pas seulement la devise des scouts, mais aussi de tout bon flic qui se respecte. Ne traînons pas, on a quarante miles à parcourir.»

Le faible trafic et le gyrophare aidant – Fran décida de ne pas utiliser sa sirène pour éviter de trop attirer l'attention –, les deux amis dévalèrent la Ethan Allen Highway en à peine plus d'une demi-heure. À travers les fenêtres entrouvertes, l'air sentait l'été qui s'annonçait. Un paysage bucolique de fermes et pâturages se déroulait sereinement de part et d'autre du pick-up, mais les yeux fixés sur la route, l'esprit tout entier au sort menaçant l'enfant, Kevin n'y prêtait aucune attention. Fran se garda bien de tenter une conversation qu'elle savait inutile et concentra ses pensées sur l'ébauche d'un plan d'action, soupesant éventualités, tactiques et risques comme elle l'avait fait tant de fois durant sa carrière.

Pourvu que je ne me trompe pas! ne pouvait-elle cependant s'empêcher de penser. Elle n'en avait pas le droit et en était cruellement consciente.

Une fois à l'intersection avec Lake Dunmore Road, Fran éteignit son gyrophare, le replaça sous le tableau de bord et ralentit l'allure. En quelques centaines de mètres, le paysage changea du tout au tout. Vallons et prairies cédèrent le pas à une luxuriance quasi tropicale de bayou louisianais. Le long de la route, des arbres centenaires aux troncs enserrés de mousse et de lierre entremêlaient leurs branches d'où pendaient d'innombrables lianes aux allures serpentines. Même la lumière du soleil semblait captive de la forêt et virait au vert un peu glauque. À travers le feuillage épais, on devinait quelques vieilles bâtisses au bois vermoulu, anciennes cabanes de chasse ou distilleries clandestines.

Après un long virage à gauche, la nature commença à montrer un premier signe d'apprivoisement : une épicerie de campagne à l'enseigne nouvellement repeinte. Puis passé un second coude apparurent les habitations d'un petit hameau alignées sur la rive d'un lac aux eaux bleu sombre cerné de collines – des résidences de villégiature, proprettes et sans extravagance, chacune munie d'un ponton où était arrimé un hors-bord, une barque ou un voilier.

« North Cove, annonça Fran en ralentissant encore, nous sommes presque arrivés. »

Kevin déglutit péniblement. Rien dans le panorama s'étendant sous ses yeux ne pouvait laisser présager le drame qui se déroulait en son sein. Il avait hâte d'être à destination, mais redoutait ce qu'il allait découvrir.

Passé le hameau, ils se dirigèrent plein sud entre le lac et les escarpements boisés de la montagne. Accrochés au flanc de celle-ci, de rares pavillons surplombaient la route de quelques mètres, proches mais à peine visibles à travers les frondaisons. Quelques minutes plus tard, un large panneau de bois peint en vert annonçait *Branbury State Park* en lettres jaunes. Fran engagea le pick-up sur Leisure Lane, qui menait à une vaste étendue gazonnée parsemée d'arbres et de bungalows en rondins et, au-delà, à une aire de jeux et une plage en croissant de lune. S'arrêtant à la guérite du gardien, elle paya le tarif d'entrée.

«Qu'est-ce que tu fais? demanda Kevin, surpris.

— Je me gare, pardi!» répondit son amie, en dirigeant le puissant véhicule vers le parc de stationnement situé à quelques pas de la plage. Elle choisit une place à l'extrémité nord, tout près du terrain de jeux.

«Ça n'est pas vraiment le moment d'aller nager!

— Sois patient. Tu vas comprendre.»

Elle coupa le contact et, allongeant le bras, retira de la boîte à gants une paire de jumelles de haute puissance. «Edna aime observer les oiseaux, dit-elle en guise d'explication. Fais comme moi, retire tes chaussures et remonte le bas de ton pantalon.

— Tu es sérieuse?

— Fais-moi confiance.»

Pieds nus et pantalon roulé jusqu'aux genoux, elle ouvrit la portière et sauta à terre. «Tu es prêt? Viens!»

Sans comprendre, Kevin emboîta le pas à l'ancienne shérif. Les vacances n'avaient pas encore commencé et, en cette fin d'après-midi, la plage était presque déserte. Faite non pas des galets ou de la glaise habituels, mais d'un sable étonnamment fin et doré pour la région, elle avait des airs de Californie. En pente douce, ils purent s'avancer dans l'eau sur plus de vingt mètres avant que celle-ci n'atteigne le haut de leurs mollets.

«Ça devrait aller», dit Fran en se retournant.

La vue était spectaculaire. La masse boisée de la montagne s'abattait en ondulations vertigineuses sur le lac, tel le corps d'un gigantesque mammouth foudroyé dont le crâne serait formé par la falaise couronnée d'arbres de Rattlesnake Point. Sur la rive étroite, on apercevait un cottage de deux étages, ressemblant à un chalet suisse, bâti en bord de route. Devant celui-ci, un ponton s'avançait dans l'eau, sur lequel un groupe de jeunes gens s'affairait autour d'un bateau à voile. Tout le reste n'était qu'un mur de végétation apparemment impénétrable. Kevin fut soudain pris d'un doute glacial. Sous cet angle, la ressemblance avec Point Dume était loin d'être aussi frappante que sur les photos.

« Tu es sûre que nous sommes au bon endroit ? »

Les yeux rivés à ses jumelles, Fran hocha la tête, croisant mentalement les doigts. « Autant que faire se peut. C'est le seul escarpement dans un rayon de deux cents miles qui corresponde de près ou de loin aux caractéristiques de ta colline de Malibu. »

Pendant un bon moment, elle pataugea de long en large, sans détacher son regard de la montagne, alors que Kevin rongeait nerveusement son frein. En cette fin de printemps, l'eau était encore fraîche et ses pieds commençaient à s'engourdir. Conscient de l'importance de reconnaître les lieux, mais incapable de discerner quoi que ce soit d'utile à l'œil nu, il rageait intérieurement de son impuissance.

Devant le chalet, les adolescents avaient fini d'amarrer leur bateau et avaient disparu à l'intérieur du bâtiment. Les derniers occupants de la plage avaient depuis longtemps rembarqué bambins, chaises pliantes, parasols et paniers à provisions dans leurs voitures et avaient pris le chemin du retour. Ils étaient seuls, leurs ombres s'allongeant lentement sur la surface tranquille du lac.

Ce fut avec un soupir de soulagement qu'il vit enfin Fran retourner vers la plage et il se hâta de la suivre. Quelques instants plus tard, jambes séchées et souliers aux pieds, ils étaient de retour dans la cabine de la Ford. Saisissant le sac à dos sur le siège arrière, Fran en retira son laptop et l'alluma. Les photos satellites de la région, qu'elle avait téléchargées avant leur départ, apparurent sur l'écran. Avec de rapides mouvements du curseur, elle en agrandit l'une, puis une autre, une autre encore, les plaçant côte à côte, ajustant le grossissement, les évaluant attentivement. Toutes étaient des vues du flanc de la montagne les surplombant dans un demi-cercle d'environ deux miles. Elles avaient dû être prises au début du printemps, car s'il n'y avait pas trace de neige sur le sol, les branches des arbres étaient encore dénudées de feuilles, révélant ainsi quelques toitures qui deviendraient invisibles sous la canopée estivale.

Comme elle l'avait fait plus tôt avec ses jumelles, Fran s'absorba longuement dans la contemplation des photos, les comparant mentalement à ses observations directes. Kevin se garda bien de l'interrompre.

« Ne pouvant aller frapper à chaque porte, dit-elle finalement d'une voix calme, ni même nous promener en touristes devant chaque maison – car il ne fait aucun doute à mes yeux que notre homme et sa complice savent fort bien à quoi nous ressemblons –, nous devons agir par élimination pour déterminer où il est le plus probable qu'ils se cachent. Heureusement, le coin est peu bâti. Il n'y a tout au plus qu'une vingtaine d'habitations dont on peut apercevoir la falaise de Rattlesnake Point en levant la tête. À mon avis, nous sommes à même d'écarter la dizaine de villas adjacentes au parc où nous nous trouvons. Construites le long de Leisure Lane, il faut passer par le poste de garde pour y accéder, ce qui semble trop risqué avec un enfant kidnappé. De plus, alignées les unes à côté des autres le long du rivage, elles ne sont pas assez isolées pour des ravisseurs. En ce qui concerne les résidences bâties le long de Lake Dunmore Road à même l'eau, comme celle-ci (elle pointa l'une des photos du doigt), ou immédiatement de l'autre côté de la route, comme celle-là, j'ai pu en éliminer un certain nombre. Soit pour y avoir observé des signes d'activité sans rapport avec ce qui nous préoccupe, soit parce que le seul endroit pour y parquer une voiture est le long de la chaussée. »

Elle lança un coup d'œil à Kevin pour voir s'il la suivait dans son raisonnement. « Si, comme je le pense, ces salopards ont utilisé une voiture volée pour enlever David et en ont probablement une autre pour plus tard disposer du corps et s'échapper, ils n'ont aucun désir de les garer au vu et au su de tous. Par conséquent, il n'y a que trois bâtiments, tous aux alentours de Mountain Road, qui fassent l'affaire, conclut-elle en indiquant un minuscule chemin grimpant à flanc de côte à moins de cinq cents mètres de l'endroit où ils se tenaient.

— Bon, dit Kevin. On y va ? »

Fran regarda sa montre. « Il est à peine 17 h 30. Le soleil ne sera pas couché avant 20 h 20 et il ne fera vraiment noir que vers 21 h 45. Il va falloir patienter. » Elle se retourna et ouvrit la glacière. « Tu préfères jambon-fromage ou roast-beef ? »

Kevin la dévisagea les yeux écarquillés. « Comment peux-tu penser à manger alors qu'en ce moment même David est en train de subir Dieu sait quels sévices entre les mains de ce monstre ? Tu l'as dit toi-même cet après-midi, il faut agir de toute urgence. N'est-ce pas la raison pour laquelle nous n'avons pas ameuté les flics ?

— Ça suffit, Kev ! rugit Fran, les yeux soudain noirs de colère. Tu veux retrouver ton neveu vivant ? Alors fais ce que je dis et arrête de tout questionner sans arrêt. »

Kevin n'avait jamais vu son amie dans un tel état. Il en demeura bouche bée, choqué autant par son regard que par la dureté de ses traits.

Aussi vite qu'elle s'était emportée, Fran se radoucit.

« Il est impératif que nous attendions la nuit pour agir, dit-elle d'une voix redevenue posée en prenant une bouchée de sandwich. Ce type tue sans la moindre hésitation, tu le sais aussi bien que moi, et y prend peut-être même plaisir. S'il nous aperçoit ou suspecte quoi que ce soit, il exécutera immédiatement le petit. L'obscurité nous donnera un avantage tactique crucial et nous aidera aussi à déterminer si ces maisons sont habitées et par qui. Finalement, et je suis consciente que ça n'est qu'une maigre consolation, les expertises médico-légales effectuées sur les victimes précédentes n'ont révélé, à part les actes de nature purement sexuelle, aucune trace de tortures physiques. Tout semble également indiquer que notre homme aime prendre son temps. Il séquestre ses victimes pendant plusieurs jours, voire une semaine entière, avant de les étrangler et d'abandonner leur corps. » Elle fixa son ami droit dans les yeux. « David n'est pas en danger immédiat.

— Non, mais il est peut-être en train de se faire violer par cette ordure ! » s'écria Kevin.

Fran laissa échapper un long soupir. « C'est malheureusement une possibilité, mais pour l'instant, nous n'y pouvons rien. »

48

Un temps qui lui avait semblé interminable – plusieurs heures sans doute, ses ravisseurs lui ayant pris sa montre, il ne pouvait le vérifier – s'était écoulé avant le retour de la mégère rousse, pendant lequel David était demeuré assis, frissonnant et nu, sur le bord du lit. Il avait tenté de toutes ses forces de garder son calme, de ne pas se laisser aller à la panique. Il avait pensé à son oncle, à Fran, à ses camarades d'école. Et à ses parents. Mais sans trouver de réconfort. Chaque minute qui passait ne faisait que renforcer la précarité de sa situation dans son esprit. Piégé comme un rat, il lui avait semblé que les murs de sa chambre-prison se refermaient sur lui inexorablement. Chaque petit bruit, chaque craquement de boiserie le faisait tressaillir. Malgré tous ses efforts, il n'avait pu contenir ses larmes. Rongé par une peur abjecte, il avait fermé les yeux, appuyant désespérément les poings sur ses paupières en une vaine tentative de conjurer la réalité. C'est alors qu'il avait commencé à prier, lentement, à mi-voix. Le rythme rassurant des incantations familières l'avait progressivement bercé, ses larmes avaient cessé de couler et sa respiration s'était apaisée. Jusqu'à ce qu'il finisse par s'assoupir, allongé sur la courtepointe. Sans savoir que, durant tout ce temps, l'homme l'avait avidement observé à travers un petit trou percé dans la cloison, savourant avec délice sa nudité, son impuissance et sa détresse.

Il avait sursauté lorsque la femme avait fait irruption dans la chambre, le tirant violemment d'une torpeur sans rêves. Les jambes molles, il l'avait suivie jusqu'à la salle de bains du premier étage, redoutant le pire.

«Savonne-toi bien», lui avait-elle ordonné avant de fermer la porte à clé.

L'eau du bain était chaude, recouverte de mousse qui sentait la violette. La baignoire, assez grande pour que deux adultes puissent s'y allonger, était percée de jets d'hydro-massage sur les quatre côtés. David regarda autour de lui. En contraste avec la chambre du sous-sol, la salle de bains, aux murs carrelés en blanc et noir, était propre et moderne.

Saisissant un pain de savon tout neuf, il se frotta consciencieusement de la tête aux pieds, puis s'immergea pendant de longues secondes dans l'eau. Malgré sa peur, son corps commença à se relaxer.

La tête sous l'eau, il ressentit plus qu'il n'entendit la porte s'ouvrir. Au calme succéda la terreur. Il se releva brusquement et, à travers la mousse qui recouvrait son visage, vit l'homme qui se tenait debout à côté de la baignoire, un sourire malsain sur les lèvres.

«L'eau est bonne, mon beau?» demanda-t-il de sa voix vibrante.

David hocha la tête faiblement.

«Bien.» Sans quitter l'enfant des yeux, l'homme enleva sa veste et la déposa sur un côté du lavabo. Puis il déboutonna lentement sa chemise, qui alla retrouver la veste sur le lavabo. Sans être large ou athlétique, son torse, comme ses bras, était robuste, parcouru de muscles longs sinuant à fleur d'une peau marquée çà et là de cicatrices d'un violet presque noir. Il s'assit sur le bord de la baignoire et prit le savon.

«Penche-toi en avant, je vais te nettoyer le dos.»

Le ton était doux, mais l'ordre pas moins impérieux. David obtempéra. Après lui avoir enduit la peau de savon, l'homme lui massa le dos de ses doigts fins et puissants. Les yeux fixés sur le mur en face de lui, l'enfant ne broncha pas, redoutant la suite.

Après un moment, l'homme retira ses mains de l'eau et les sécha sur l'une des serviettes suspendues au mur. Puis, avec une nonchalance glaçante, il défit la boucle de sa ceinture, abaissa la fermeture Éclair de sa braguette et retira son pantalon et son caleçon qu'une fois encore il disposa méticuleusement avec le reste de ses habits. Ce faisant, il s'assura avec un délice manifeste qu'aucune partie de son corps ne puisse échapper au regard de David. Ce dernier avait déjà été exposé, outre la sienne, à la nudité masculine, mais il s'était innocemment agi de son père qui, comme sa mère, n'était pas un prude, ou de ses camarades d'école, dans les douches de la gym. Jamais d'un étranger. Alors que l'homme pénétrait à son tour dans le bain, l'enfant ne put s'empêcher de remarquer son érection.

Une vague de nausée le prit à la gorge. Il ferma les yeux. *Survivre, je dois survivre*, commença-t-il à se répéter, *pour papa et maman, pour qu'ils ne soient pas morts pour rien.* Les doigts de l'homme sur sa poitrine lui firent rouvrir les yeux en sursaut. Assis en face de lui, ses jambes de chaque côté des siennes, l'homme le dévisageait, ses lèvres entrouvertes sur des dents de fauve.

«Détends-toi, mon beau, laisse-toi aller, susurra-t-il, sa main descendant lentement vers le bas-ventre. Je ne te veux aucun mal, juste apprendre à mieux te connaître.» Son sourire s'agrandit, ses yeux s'écarquillèrent.

David sentit les doigts effleurer la base de son pénis et, à nouveau, il ferma les yeux. Alors que la caresse de l'homme se faisait plus insistante, il fit appel à tout son courage pour ne pas hurler et se débattre, ce qui, il s'en doutait, n'aurait rendu son supplice que plus pénible. À travers ses paupières closes, il chercha des yeux une image mentale qui l'aiderait à échapper au présent et le sauverait du désespoir et de la folie. Petit à petit se dessinèrent dans son esprit les vagues bleues et baignées de soleil du Pacifique, et parmi elles les silhouettes familières et protectrices de Mina, Bobby et Zorgaël.

L'homme fut, à tort, plaisamment surpris de voir un léger sourire se dessiner sur les lèvres de l'enfant.

49

À contrecœur, et sans appétit, Kevin s'était résolu à manger l'un des sandwichs que Fran avait préparés. Maintenant il le regrettait, car la nourriture lui restait sur l'estomac. Débouchant la Thermos, il se versa une tasse de café, qu'il sirota noir et sans sucre, contrairement à son habitude, comme s'il espérait que l'amertume du breuvage lui remette les entrailles en place.

Sur la rive opposée du lac, le soleil venait de disparaître derrière les collines, embrasant l'horizon des feux de son couchant.

« Il est temps de prendre position, dit Fran en faisant démarrer le moteur.

— Enfin », soupira Kevin.

À l'intersection avec Lake Dunmore Road, ils retracèrent leur chemin en direction de Mountain Road. Quelques instants plus tard, Fran garait le puissant 4 × 4 sur le bas-côté de la route, sous les branches d'un gros érable, et coupait immédiatement le contact.

« Cet arbre dissimulera la voiture des bâtiments en surplomb, commenta Fran. On va faire le reste à pied. On a une bonne heure pour repérer la planque de ce salopard. Après, ça sera la nuit complète. On s'équipe et on y va. »

Enjambant la console séparant les deux sièges, elle s'insinua vers l'arrière de la cabine.

257

« Tiens, dit-elle en tendant l'une des vestes de chasse à Kevin et en enfilant l'autre.

— Comment comptes-tu déterminer dans quelle maison David est détenu ? questionna celui-ci tout en s'habillant.

— Observation et flair, mon vieux. Et un peu de chance. »

Beaucoup de chance !

Retirant de son sac à dos deux sticks de crème de camouflage, Fran s'enduisit le visage de zébrures vertes et noires, puis tendit les sticks à Kevin, qui en fit de même. Tous deux avaient passé assez de nuits à l'affût du gibier pour savoir qu'un simple rayon de lune se reflétant sur une peau blanche était suffisant pour trahir la présence d'un chasseur.

« Il doit y avoir des bandanas dans la boîte à gants, lui dit-elle. Mets-en un et donne-m'en un autre. »

Après s'être couvert la tête du tissu camouflé, elle sortit les chargeurs de son sac et les plaça dans les poches de poitrine de sa veste. Puis elle saisit les deux lunettes Armasight, en passa une à Kevin et ajusta les sangles de l'autre par-dessus son bandana.

« Ces lunettes sont légères, extrêmement efficaces et faciles à utiliser. Assure-toi cependant que les courroies soient bien serrées pour éviter tout décalage pendant l'action. Il n'y a que trois contrôles : ces deux-là pour la mise au point de l'oculaire et de l'objectif, et ici l'interrupteur d'alimentation, qui a trois positions : éteint, allumé et illuminateur. Le faisceau infrarouge de ce dernier n'a qu'un rayon d'action limité à l'extérieur – moins de dix mètres – mais marche très bien à l'intérieur, ce qui sera utile si, comme je le prévois, nous nous trouvons plongés dans l'obscurité totale. Sinon, le système passif d'amplification de lumière résiduelle fournit un excellent champ de vision de plus de cent mètres à la seule lueur d'une ou deux étoiles. »

Curieux, Kevin abaissa la lunette devant son œil droit et alluma le dispositif. Immédiatement, l'habitacle et la nature au-delà surgirent avec la clarté du plein jour, baignés d'une intense lumière vert pâle.

«Impressionnant, dit-il en coupant le courant et remontant la lunette sur son front. Ça aurait été pratique d'avoir ces gadgets lorsqu'on chassait des bestioles dans le temps.

— Mieux vaut tard que jamais», répondit Fran avec un petit sourire. Se penchant par-dessus la banquette arrière, Kevin s'empara de la carabine Browning tandis que Fran empoignait son fusil d'assaut, et tous deux s'assurèrent qu'une cartouche était engagée dans la chambre de leurs armes et que le cran de sûreté était enclenché.

«Paré?» demanda Fran.

Poing fermé, Kevin pointa son pouce vers le haut.

Il ne faisait pas encore nuit noire et ils purent se repérer sans recourir à leurs lunettes. Évitant route et chemins, ils s'enfoncèrent sous les arbres.

La pente était raide et les obstacles – branches, buissons, ronces et troncs abattus – nombreux, les forçant à plusieurs reprises à progresser à quatre pattes. Mais, habitués aux longues traques, ils savaient instinctivement où poser les pieds et prendre appui, comment se faufiler sans accroc sous un écran de branchage et en tout temps mesurer leur effort.

Bientôt apparut la silhouette de la première maison que Fran voulait inspecter. Il ne leur fallut que quelques secondes pour la rayer de la liste. Par les fenêtres grandes ouvertes, ils pouvaient voir un salon et une salle à manger brillamment éclairée, où deux jeunes femmes desservaient la table en riant tandis que leurs compagnons bavardaient en sirotant une bière sur la terrasse. Un air de blues leur parvenait aux oreilles. Manifestement, il ne s'agissait pas d'une planque.

«Passons à la suivante», chuchota Fran en indiquant du doigt un toit qui dépassait de la pénombre cinquante mètres plus haut. Sans bruit, ils se fondirent dans les broussailles.

La seconde bâtisse était un petit cottage passablement délabré. La peinture jaune de la façade s'écaillait par plaques, plusieurs carreaux étaient brisés et la moustiquaire de la porte d'entrée pendait lamentablement sur l'un de ses gonds. Derrière les volets fermés, aucune lumière ne filtrait.

« Pas de voiture dans l'allée et pas de garage. Je doute qu'ils soient là, mais je vais quand même jeter un coup d'œil. » Fran désengagea la sûreté de son arme, imitée une seconde plus tard par Kevin. « Reste ici et couvre-moi. Au moindre coup de feu, rapplique, mais prudemment. »

Le fusil épaulé, elle s'élança à pas de loup sur le gravier de l'allée et se fondit dans l'obscurité croissante. Kevin abaissa son Armasight et l'alluma. Après avoir cligné plusieurs fois pour acclimater son œil à la lueur, il repéra Fran, qui avait atteint le coin sud de l'habitation. Longeant le mur comme un fantôme, elle disparut bientôt derrière le bâtiment. En position de tir, Kevin scruta la façade à travers sa lunette, passant d'une fenêtre à l'autre, puis à la porte et aux vasistas du second étage, attentif à tout mouvement pouvant indiquer une menace, l'oreille tendue, le souffle court. Les minutes s'écoulèrent, alors qu'autour de lui les bruits de la nuit s'intensifiaient.

Il sursauta presque lorsque Fran réapparut dans son champ de vision. En quelques enjambées silencieuses, elle était de retour à ses côtés.

« Rien, murmura-t-elle. J'ai pu crocheter la serrure de la porte de derrière. L'édifice est vide et à en juger par la poussière, n'a pas été habité depuis un bon moment.

— Et de deux. Plus qu'une », commenta Kevin, le cœur battant.

La troisième résidence était à l'écart et en contrebas des deux autres, au bout d'une longue allée goudronnée. C'était également un cottage en bois de deux étages, mais contrairement au précédent, il était parfaitement entretenu, ses boiseries fraîchement vernies, ses volets et porte peints en bleu sombre. Des pots de fleurs étaient alignés le long d'une étroite terrasse où deux rocking-chairs semblaient attendre leurs occupants habituels. Deux voitures – une Toyota Camry de modèle récent et une Jeep Renegade – étaient parquées non loin de la porte d'entrée. Derrière les rideaux tirés filtraient une lumière chaude et l'on pouvait voir, de temps en temps, des ombres passer devant les embrasures.

« S'il s'agit d'eux, ils ne sont pas très discrets », murmura Fran.

Saisissant son portable, elle entra les numéros des plaques minéralogiques des deux véhicules, immatriculés dans l'État de New York, dans l'application de recherche.

« Ce ne sont pas des voitures volées, annonça-t-elle quelques instants plus tard sur un ton déçu.

— Peut-être ont-ils fait l'échange après le rapt. Pour plus de discrétion, suggéra Kevin.

— Toutes deux sont au nom d'un certain Alex Bascom, résidant à Albany.

— Le vrai nom de notre homme…

— Ou un vacancier et sa famille. Il n'y a plus qu'à aller s'en assurer. Couvre-moi. »

Et de nouveau, fusil prêt à tirer, elle s'élança dans la nuit.

50

Après un moment, l'homme s'était lassé de prodiguer ses attouchements. Il avait lentement retiré sa main et David s'était pris à espérer une pause dans cette intimité ignoble. Il dut vite déchanter. Rouvrant les paupières, il vit l'homme qui le dévisageait, une lueur perverse, presque hagarde dans les yeux.

« J'espère que ça t'a plu, dit-il sourdement. À ton tour, maintenant. » Sans le quitter des yeux, il prit la main de David et la plaça sur son membre en pleine turgescence. L'enfant tenta désespérément de retirer sa main, mais l'homme, enserrant son poignet comme dans un étau, le força à maintenir le contact. David se mit à trembler, de dégoût et de désespoir. Malgré l'eau chaude du bain, et les gouttes de sueur qui coulaient le long de ses tempes, il était glacé de la tête aux pieds. Un sanglot lui vint dans la gorge et il dut mordre ses lèvres pour le refouler.

L'homme s'allongea en arrière, mais ne relâcha pas sa prise.

« Si tu fais bien ta tâche, tu auras droit au bon repas que ma cousine a préparé. » Il imprima à la main de David un mouvement lent de haut en bas. De nouveau, le garçon ferma les yeux. De nouveau, il tenta de trouver refuge sur les rivages californiens. Mais cette fois-ci, ce fut en vain. Le présent, d'une poigne aussi implacable que celle de l'homme, refusa de le laisser s'échapper dans le cocon protecteur de son imaginaire. Le sanglot jusqu'alors réprimé, s'échappa, et il se mit à pleurer.

L'homme gloussa de plaisir. Et l'enfant comprit qu'il ne servirait à rien de plaider ou de supplier, car cela ne ferait qu'accroître le délice de son ravisseur.

Aucune grâce n'allait lui être accordée.

Fran n'avait pas fait dix pas que la porte d'entrée s'ouvrit en grand et qu'une gracile silhouette féminine, en jean et chemise à carreaux, se découpa dans la lumière. L'ex-shérif n'eut que le temps de se jeter derrière un arbre.

« À tout à l'heure, dit la silhouette, ses cheveux blonds miroitant dans l'entre-porte. Je vais retrouver Jennifer et Cindy à Middlebury.

— Ne rentre pas trop tard, ma chérie, recommanda de l'intérieur une voix de femme.

— Et ne prends pas le volant si tu as bu, ajouta une voix d'homme.

— Promis », dit la jeune fille gaiement en refermant la porte et se dirigeant vers la Jeep. À la lueur de sa lunette de vision nocturne, Fran jugea qu'elle devait avoir une vingtaine d'années. Elle démarra bruyamment, fit faire un abrupt cent quatre-vingts degrés à la Jeep et dévala l'allée, ses feux arrière vite avalés par l'obscurité.

« Pas vraiment le profil de criminels en série », grommela Kevin depuis sa cachette. Il vit néanmoins Fran faire lentement le tour du bâtiment et jeter un coup d'œil prudent au coin de chaque fenêtre, s'arrêtant de temps en temps pour écouter les bruits provenant de l'intérieur.

Une douzaine de minutes plus tard, elle était de retour à ses côtés.

« Négatif, dit-elle, en secouant la tête.

— Je m'en doutais. Qu'est-ce qu'on fait maintenant ? »

Fran se racla la gorge et cracha par terre. L'angoisse de l'échec avait repris le dessus et il lui fallut un effort héroïque pour ne pas crier de frustration. Malgré son expérience, son instinct et ses observations détaillées, elle s'était trompée d'objectif et ils n'étaient maintenant guère plus avancés qu'au début de leur expédition. Cherchaient-ils même dans le bon coin ? Se pouvait-il que, malgré sa ressemblance avec Point Dume, Rattlesnake Point ne fût pas la montagne que David avait aperçue ?

Ça n'est pas le moment de baisser les bras ou de paniquer, ma vieille, s'admonesta-t-elle intérieurement en serrant les poings. *Une erreur de calcul, sans plus. Garde ton sang-froid et réajuste le tir.*

« De toute évidence, ma présélection fut trop sévère, répondit-elle sur un ton neutre. Il va falloir étendre notre champ de recherche, en commençant par les propriétés adjacentes à celles que nous avons déjà visitées.

— On a du pain sur la planche », dit Kevin avec un soupir. Il consulta sa montre. « Presque 22 heures. Ne perdons pas de temps. »

La nuit était maintenant totale et sans lune, ce qui leur permit, sans grand risque d'être détectés, d'emprunter l'allée plutôt que d'affronter les broussailles. Juste avant d'arriver à la route, Kevin remarqua une seconde allée s'embranchant avec celle qu'ils parcouraient et se perdant plus haut dans la montagne. Il s'arrêta brusquement.

« Tu sais où ça mène ? demanda-t-il à Fran.

— Nulle part, c'est un cul-de-sac. »

Kevin la regarda, incrédule. « Un chemin soigneusement goudronné ne menant nulle part ? Au prix de l'asphalter à flanc de colline ? Cela n'aurait aucun sens.

— Les prises de vue aériennes ne révèlent aucune construction.

— Allons tout de même voir», lança-t-il en s'engageant au trot sur le chemin en pente raide.

Étouffant un juron, Fran le suivit. Ils parcoururent une centaine de mètres avant de s'accroupir en bordure du chemin.

«On dirait que tes photos n'étaient pas très à jour, murmura Kevin, un peu essoufflé, en montrant du doigt les murs sombres d'un cottage niché sous les arbres.

— Putain! grogna Fran. Il est bien caché, et probablement invisible d'en haut. Sans toi, on l'aurait manqué.»

Quittant l'allée, ils parcoururent avec prudence les derniers mètres sous le couvert de la végétation. De plain-pied, le bâtiment était de dimension modeste, pas plus de cent trente mètres carrés, sans compter le sous-sol, dont quelques lucarnes faiblement éclairées trahissaient l'existence. Un petit porche flanqué d'une paire de colonnes surplombait la porte d'entrée. Peinture, toiture et boiseries, ainsi que la minuscule pelouse sur le devant, étaient en bon état, mais sans fioritures ou touches personnelles. Coquet et fonctionnel, rien de plus.

Les volets étaient clos, mais de la lumière filtrait à travers les interstices.

«Un pavillon de vacances loué à la semaine, souffla Fran. La planque parfaite.

— Oui, mais est-ce le bon?» s'interrogea Kevin.

En guise de réponse, Fran lui fit signe de la suivre. Courbés en deux, longeant l'orée de la forêt, ils contournèrent la maison, dont l'arrière était adossé à la montagne. À l'extrémité est du bâtiment, l'allée se terminait en un terre-plein sur lequel deux voitures étaient garées. Fran remarqua qu'elles étaient immatriculées dans l'État du Vermont.

De nouveau, elle entra les numéros dans le moteur de recherche de son portable et attendit impatiemment le résultat.

«Bingo! Ces bagnoles ont été reportées volées ce matin, à une heure d'intervalle. Toutes deux à moins de vingt miles de l'école de David. Ça ne peut être qu'eux. On y va!

— Et si on se trompe ?» s'inquiéta Kevin.

Fran plaça une main sur l'épaule de son ami.

«Écoute-moi, Kev, dit-elle d'une voix où perçaient la tension et une pointe d'exaspération. Nous n'avons pas le temps de tergiverser. Il est impossible de s'assurer de l'identité des occupants de cette bicoque sans se faire repérer et mettre la vie de David en danger. Et comme je te l'ai déjà dit, les autres habitations du coin ne sont pas de bonnes candidates. C'est notre meilleure carte. Et puis regarde», ajouta-t-elle en levant le doigt.

Kevin suivit son mouvement du regard. À travers une trouée dans le feuillage, baignée dans la lueur spectrale de sa lunette Armasight, se dressait la falaise majestueuse de Rattlesnake Point. D'où il se trouvait, la ressemblance avec l'à-pic de Point Dume était frappante.

«OK. Quel est ton plan ?»

PARTIE X

52

Si la mort, comme son complice le temps, efface implacablement les souvenirs, elle accomplit son œuvre de façon sélective. Les défauts du défunt et les mauvais souvenirs disparaissent, ses qualités et les bons moments demeurent au point de prendre une proportion démesurée grâce au vide ainsi laissé.

C'est ce qui s'était produit après la mort de Nicole. Progressivement, presque imperceptiblement. Les silences lourds de sous-entendus, les sourires narquois, les colères, les remarques désobligeantes et même les insultes avaient commencé, peu à peu, à perdre de leur mordant et s'étaient estompés, se nichant un par un dans le tréfonds diffus de la mémoire de Kevin. Les plus anodins d'abord, suivis par les événements plus sérieux, pour finir avec les plus cruels. Jusqu'à ce qu'il ne restât que les souvenirs heureux, et l'abjecte nécessité de faire un effort pour se remémorer les peines, les injustices, les frustrations et les mensonges.

Loin d'adoucir son deuil, ce processus d'élimination l'avait rendu chaque jour plus insupportable. Car oublier les chagrins infligés revenait à ignorer la part envenimée de leur relation, qui, du vivant de Nicole, avait fini par la définir, ne plus comprendre pourquoi il avait autant haï qu'aimé cette femme, ne plus donner de sens à ses propres réactions et sentiments.

Ainsi, pour ne pas devenir fou, il lui avait fallu raviver, puis cultiver la flamme noire de son passé douloureux, jusqu'à en être poursuivi dans ses rêves. Se remémorer les coups pour comprendre les cicatrices. Revivre constamment le chagrin pour demeurer fidèle à lui-même et préserver son identité ainsi qu'un semblant de fierté.

Il avait déçu les attentes de Nicole et ne pourrait désormais remonter dans son estime. Elle l'avait aimé, puis méprisé et enfin piétiné, et il ne parviendrait plus à lui prouver sa valeur, encore moins regagner son amour. Il ne comprendrait jamais les vraies raisons de son infidélité, et ce qui s'était caché derrière le bref regard échangé dans la chambre d'hôtel de Mountain View – si regard il y avait eu. Il ne serait jamais capable de complètement cesser d'aimer cette épouse qui lui avait tant donné et tout repris, cette femme-drogue dont l'amour-poison semblait devoir courir dans ses veines aussi longtemps qu'il vivrait.

Incapable de trouver la sérénité parmi les vivants, il avait recherché la paix des morts. En vain. La vie s'était révélée aussi tenace qu'impitoyable. Jusqu'au jour où, ironie sublime et miséricordieuse, le goût à l'existence lui était revenu sous les traits d'un enfant qui avait autant, sinon plus, souffert que lui, et lui avait donné, avec son affection et sa confiance, une nouvelle raison d'être. Non pas une nouvelle drogue, mais un antidote. Lui permettant enfin de ranger le passé, de vivre le présent et d'envisager sereinement le futur.

Et maintenant, il ne pouvait supporter l'idée de le perdre.

53

Sa carabine en bandoulière, Kevin rampa silencieusement jusqu'au compteur électrique fixé à la paroi du cottage. Là, à l'aide du couteau de chasse que Fran lui avait prêté, il fit sauter les scellés du boîtier métallique. Puis il saisit sa Browning d'une main et se tint prêt à couper le courant de l'autre.

Levant les yeux, il vit Fran accroupie devant la porte de derrière du bâtiment, à dix mètres sur sa gauche, qui modelait du bout des doigts un boudin de C4 autour de la serrure et y plantait un détonateur. Après avoir simultanément réglé la mise à feu sur quarante secondes et démarré son chronographe, elle se leva prestement, s'adossa au mur à côté du chambranle et alluma le viseur point rouge de son fusil d'assaut. Puis elle retira une grenade M84 de la poche de poitrine de sa veste et, les yeux rivés sur l'aiguille du chronographe, leva un poing fermé en direction de Kevin. Elle commença à compter silencieusement, un doigt après l'autre. Un doigt… deux doigts… trois doigts, Kevin coupa le courant d'un geste sec. Quatre doigts, la charge de C4 explosa avec un bruit sourd. D'un coup de pied, Fran ouvrit la porte, lança la grenade incapacitante à l'intérieur et se plaqua à nouveau contre le mur, la tête détournée, les yeux fermés et les mains sur les oreilles. Instruit à l'avance par son amie, Kevin fit de même.

Un instant plus tard, une détonation assourdissante retentissait dans la maison, accompagnée d'un flash de lumière aveuglant. Sautant sur ses pieds, Kevin, carabine en main, s'élança derrière Fran, qui avait déjà franchi le seuil de la porte. À l'intérieur, tous deux enclenchèrent l'illuminateur infrarouge de leurs lunettes, compensant l'absence de lumière.

À première vue, le séjour dans lequel ils avaient pénétré était désert. Sur la table à manger s'étalaient les restes d'un repas pour deux, des fonds de vin dans les verres. Mais quelques pas en direction du comptoir de la cuisine révélèrent un corps affalé jambes écartées contre un fauteuil renversé. En état de choc, une femme rousse contemplait l'obscurité de ses yeux écarquillés temporairement aveuglés par le flash. De minces filets de sang coulaient de ses narines dilatées.

Hors d'état de nuire pour un moment, pensa Fran. La prudence aurait nécessité de la ligoter avec les serre-câbles qu'elle avait emportés à cet effet, mais ils n'en avaient pas le temps. Il fallait d'abord et à tout prix trouver l'homme – et l'enfant.

« Reste ici et surveille-la, intima-t-elle à Kevin.

— Pas question ! Je viens avec toi. »

Soudain, un cri retentit, venant du sous-sol.

« David ! » s'exclama Kevin.

Fran et lui se ruèrent à travers la pièce en direction du vestibule, où une porte était grande ouverte sur des escaliers descendant dans le noir. Kevin allait s'y engager en tête quand Fran le retint d'une poigne ferme et prit les devants. Arme contre la joue, ils descendirent les marches et se retrouvèrent dans une pièce aménagée en salle de jeux, équipée d'un billard, d'un baby-foot et d'une table de ping-pong. D'un mouvement du canon de son fusil, Fran indiqua une porte ouverte sur le mur du fond et fit signe à Kevin de se diriger vers la droite, tandis qu'elle prendrait sur la gauche. Il hocha la tête. À pas de loup, tous deux s'approchèrent de la porte et prirent position de chaque côté de l'embrasure.

De nouveau, l'ex-shérif leva le poing et compta. À quatre, elle s'engouffra à travers la porte, Kevin sur ses talons.

Ils étaient là, debout à côté du lit.

Dos au mur, l'homme, complètement nu, tenait devant lui David, nu lui aussi, comme un bouclier. Il enserrait de son bras gauche la gorge de l'enfant, et pointait de sa main droite un revolver de gros calibre contre la tempe de celui-ci. Un flot de larmes coulait des yeux affolés du garçon qui, secoué de frissons, tentait vainement de percer la nuit qui l'enveloppait.

L'homme n'y voyait guère plus mais avait les yeux fixés dans leur direction, deux puits de noirceur à travers la lunette infrarouge de Fran.

«Qui que vous soyez, cria-t-il d'une voix étonnamment ferme, ne faites pas un geste ou je tue le gosse!»

Fran leva une main, sommant silencieusement Kevin de ne pas bouger. Le chien du revolver était armé. La moindre tension sur la détente ferait partir le coup.

David se mit à gémir doucement et l'homme serra un peu plus son étreinte, l'étranglant à moitié. «Si vous tenez à la vie du gamin, continua-t-il, vous allez sortir d'ici en vitesse, rétablir le courant et déguerpir. Ne jouez pas les héros. Toute tentative de votre part et le gosse morfle. Et n'essayez pas de nous suivre non plus. Est-ce que c'est bien compris?

— Absolument», répondit calmement Fran en alignant le point rouge de son ROMEO4 H sur le front de l'homme. Elle n'avait pas droit à l'erreur. Elle prit une respiration, puis la relâcha lentement, tandis que du doigt elle augmentait imperceptiblement la pression sur la détente de son fusil, sans à-coup.

Entre deux battements de cœur... Maintenant!

Dans un espace aussi confiné, la déflagration fut fracassante.

L'homme était toujours debout. Le haut de son crâne décapité par l'impact de la balle, il était déjà mort, mais ne le savait pas encore. Son bras serrait toujours le cou de David, et le canon du revolver, pressé sur la tempe du garçon, n'avait pas dévié d'un pouce.

Kevin bondit et d'un coup de crosse fit gicler l'arme de la main du cadavre. Agrippant ensuite David par la taille, il arracha ce dernier à son étreinte.

Ses yeux effarés ouverts sur le néant, l'homme vacilla comme sous l'effet d'une brise, puis s'affaissa lentement contre le mur.

« C'est moi, David, c'est oncle Kevin. N'aie plus peur, tu es sauvé. Ce monstre ne te fera plus aucun mal. » Blotti contre son oncle, David se mit à sangloter. « C'est fini, mon grand, c'est fini, ajouta Kevin. On va rentrer chez nous. »

Mais il n'eut pas le temps d'en dire plus. Dans son dos, l'étroit faisceau d'une lampe LED perça brutalement les ténèbres, immédiatement suivi par un coup de feu. David hurla de terreur. À leurs côtés, Fran s'effondra sur le sol.

Plaquant David à terre, Kevin se retourna en un éclair et, avant que l'assaillant puisse faire feu de nouveau, tira de la hanche, à l'instinct. Trois balles. Les deux premières firent voler en éclats le chambranle de la porte. La troisième fit mouche, s'enfonçant dans l'épaule gauche de la femme rousse avec une violence telle que celle-ci pirouetta sur elle-même comme une toupie avant de disparaître derrière la cloison.

« Fran ! » cria Kevin en s'agenouillant auprès de sa vieille amie. Le côté droit de sa tête était maculé de sang. Son oreille avait disparu, le conduit auditif externe dessinant un trou sombre couronné de chair déchiquetée. Il se pencha au-dessus de son visage et fut rassuré de sentir le souffle de sa respiration contre sa joue. Plaçant deux doigts sur sa carotide, il constata que le pouls était rapide mais régulier. Il se redressa, ôta sa veste de chasse et en drapa les épaules de David.

« Elle est… morte ? s'enquit l'enfant d'une voix tremblante.

— Non, mon grand. Elle est vivante. C'est une coriace. Mais il faut que j'appelle les secours et que je m'occupe de sa blessure. Et avant tout, je dois m'assurer de nos arrières. » Il récupéra sa carabine. « Ne bouge pas. Reste auprès de Fran. »

Prêt à tirer, il s'avança prudemment vers la porte, s'arrêta sur le seuil et tendit l'oreille. À part le sifflement de ses tympans meurtris par les détonations, le silence était absolu. Serrant les dents, il se jeta à travers l'embrasure, le canon de son arme pointé sur l'endroit où la femme avait disparu. Personne. Seulement une flaque de sang contre la paroi d'où s'égrenaient de petites taches en direction de l'escalier.

Cette garce a la vie dure, pensa-t-il avec colère. Renonçant à la poursuivre, il retourna dans la chambre et, après s'être agenouillé une fois de plus aux côtés de Fran et David, saisit son portable dans sa poche et composa le numéro des urgences.

« *Nine-One-One, what's…* »

Kevin ne laissa pas à la préposée le temps de finir son message. « Officier blessé, je répète, officier blessé ! interrompit-il brutalement en pressant la touche du haut-parleur et posant le téléphone par terre. Nous avons besoin de secours immédiats. »

Le plus succinctement possible, il entreprit de décrire la situation et de donner leurs coordonnées, tout en faisant délicatement glisser le sac à dos de dessous le corps de l'ex-shérif. Il en sortit la lampe torche, qu'il alluma après avoir repoussé sur son front sa lunette de vision nocturne, et la trousse de secours. Tendant la lampe à David, il lui demanda de l'éclairer. Puis il souleva légèrement la nuque de Fran, retira les sangles de sa lunette et appliqua tant bien que mal un épais pansement autour de son crâne. Une fois fini, il constata avec satisfaction que le sang s'était arrêté de couler.

Il se leva, récupéra les habits de David du dossier de la chaise et l'aida à se vêtir. Avec son bandana, il lui débarbouilla sommairement le visage. Le garçon prit le tissu camouflé, se moucha et, dans la lueur de la lampe torche, leva les yeux vers les siens.

« Oncle Kevin, balbutia-t-il. J'ai eu si peur. C'était… Cet homme… si tu savais… » Sa voix s'étrangla.

Kevin lui sourit tendrement, l'embrassa sur le front et lui passa la main dans les cheveux. Sous ses doigts, il sentit une bosse et une substance visqueuse. Il les retira précipitamment. Du sang ! Dévisageant son neveu, il remarqua pour la première fois que ses lèvres étaient fendues et boursouflées, et son œil gauche tuméfié. Il avait sous le nez des croûtes de sang séché.

« Il t'a battu ?

— Il a voulu que… je le prenne dans ma bouche, alors je l'ai mordu. » Il frissonna violemment. « Il m'a frappé très fort et je me suis évanoui. Quand je me suis réveillé, j'étais dans le lit et lui à côté de moi. Il a voulu recommencer… et m'a menacé avec son revolver. Et puis vous êtes arrivés. »

Il s'effondra de nouveau, en larmes, et Kevin le tint longuement serré contre son cœur, jusqu'à ce qu'il se calme. Son amour pour l'enfant se mêlait à une rage froide comme il n'en avait jamais ressenti. Il aurait tant voulu que l'homme ne soit pas mort, pour pouvoir le faire souffrir, le torturer sans espoir d'expiation, le faire implorer le coup de grâce, jusqu'à son dernier souffle.

« Kevin ? David ? » La voix de Fran était pâteuse mais claire.

Relâchant son étreinte, Kevin s'empressa vers son amie.

« Content de te revoir parmi nous, ma vieille. Tu m'as fait une sacrée peur.

— Que s'est-il passé, j'ai un de ces mal de crâne, dit-elle alors qu'au loin le son de multiples sirènes commençait enfin à se faire entendre.

— La complice de cette ordure t'a tiré dessus. À quelques millimètres près, tu n'avais plus de cervelle. En revanche, il va falloir apprendre à te passer de ton oreille droite. »

Fran leva brusquement une main vers sa tête et lâcha un cri de douleur lorsque ses doigts entrèrent en contact avec le pansement.

« Mon oreille ? Cette salope m'a arraché l'oreille ? s'écria-t-elle, horrifiée.

— Calme-toi. Comme je te l'ai dit, ça aurait pu être pire. »

L'ex-shérif tapa rageusement du poing contre le sol.

« Bordel ! Je vais devoir porter les cheveux longs, comme une gonzesse. »

«Larry, ça me fait plaisir de te voir», dit Fran avec un sourire faible. Étendue sur une civière dans un coin du séjour, elle attendait d'être évacuée. «Désolée de ruiner ta soirée.»

Larry Walsh, le shérif du comté d'Adison et ancien adjoint de Fran, avait été l'un des tout premiers sur place. Quand la nouvelle avait circulé que Frances Murray avait été blessée en libérant un enfant des griffes d'un dangereux pervers et tueur en série, le branle-bas de combat avait sonné parmi les forces de l'ordre de la région. Outre deux camions de pompiers et trois ambulances garés devant la maison, une véritable flottille de voitures de patrouille, tous gyrophares allumés, était alignée le long de l'allée et sur la route en contrebas. À tel point que les véhicules du médecin légiste et des techniciens de la police scientifique avaient eu toutes les peines du monde à se frayer un passage.

«N'y pense même pas. Si les premiers rapports sont exacts, toi et ton pote nous avez rendu un sacré service. Et puis, ajouta-t-il avec un clin d'œil malicieux, je n'aurais pas voulu manquer l'opportunité de te voir jouer les Dirty Harry une fois de plus. Je constate avec plaisir que la retraite ne t'a pas trop ramollie.»

Après avoir retiré le pansement sommaire apposé par Kevin, un ambulancier s'affairait avec diligence sur la plaie de Fran, tandis qu'un autre contrôlait ses signes vitaux sur un moniteur portable.

«Mrs. Murray, vous devriez parler le moins possible, lui recommanda ce dernier. Votre rythme cardiaque est élevé et votre tension très basse. Il ne faudrait pas que vous tombiez en état de choc. L'hélicoptère sera là dans quelques minutes pour vous emmener au UVM Medical Center. En attendant, reposez-vous.

— Je me reposerai quand je serai sur le billard», répondit Fran, agacée. Elle se tourna vers son ancien adjoint. «Larry, il faut immédiatement alerter le FBI. La complice de ce salaud est blessée mais en fuite. Et elle est plus dangereuse qu'une veuve noire.

— C'est déjà fait. Le bureau de Burlington est sur le pied de guerre et un certain agent spécial Caldwell, accompagné de quatre de ses collègues de Boston, devrait arriver dans moins d'une heure. Ton ami O'Hagan et son neveu ont fourni un portrait détaillé de la femme et grâce à toi nous avons le numéro de plaque de la voiture avec laquelle elle s'est enfuie. Un avis de recherche a été diffusé. À en juger par les taches laissées sur le sol, elle a perdu pas mal de sang. Dans son état, elle ne devrait pas aller loin.

— Ne la sous-estime pas. Maintenant écoute-moi. Avant qu'ils me mettent dans l'hélico, je veux te donner le plus d'informations possible. Les Feds auront besoin de ton aide et de celle des flics des comtés avoisinants. Tu transmettras.

— Mrs. Murray, protesta l'ambulancier, je dois insister pour que vous vous reposiez!

— Ah, vous, le secouriste, coupa Fran, occupez-vous de me garder en vie et foutez-moi la paix!»

Puis, n'omettant aucun détail, elle fit son rapport à Walsh. Ce ne fut qu'après avoir fini qu'elle perdit connaissance.

«Merde! gronda l'ambulancier. Je lui avais pourtant bien dit!» Il jeta un coup d'œil inquiet à son moniteur. «Elle est en collapsus cardio-vasculaire.» Il saisit un masque à oxygène et le plaça sur le visage de Fran, réglant le débit de la bouteille à neuf litres par minute.

«L'hélico vient d'atterrir sur le terre-plein de Branbury Park, annonça son collègue après un bref échange sur sa radio. On l'emmène. On lui fera une perfusion en vol. Magne-toi!»

Walsh regarda la civière s'éloigner avec un pincement au cœur. Et fit une prière silencieuse pour la santé de cette femme remarquable qui lui avait tant appris de son métier, y compris durant cette nuit. Bien que Fran et son compère aient dangereusement poussé les limites de la notion d'arrestation par simple citoyen, il doutait fort que, dans les circonstances présentes, le procureur général de l'État envisage de quelconques poursuites. Il secoua la tête, un vague sourire aux lèvres. Une médaille serait plutôt de rigueur.

Non loin de là, assis sur l'un des fauteuils du séjour et buvant à petites gorgées un café brûlant, Kevin finissait de donner sa déposition à l'un des adjoints de Walsh, un grand Vermontais d'origine québécoise nommé John Bouchard.

«C'est une très dangereuse équipée dans laquelle vous et Shérif Murray vous êtes engagés, Mr. O'Hagan.» Il avait utilisé le terme *Shérif*, normalement réservé à un officier en fonction et non pas à la retraite, soulignant ainsi le respect et l'affection que tous ses ex-confrères avaient pour Fran. «Pourquoi ne pas avoir plutôt appelé la police après avoir localisé l'endroit où était détenu votre neveu?»

Kevin hocha les épaules. Les effets de l'adrénaline s'étaient effacés et il se sentait soudain vidé de toute énergie. Il n'avait qu'une envie: ramener David à la maison et dormir. «Comme je vous l'ai déjà dit, cela aurait pris trop de temps. Et puis, sans vouloir manquer de respect à vous ou à vos collègues, il y a peu de policiers qui ont autant d'expérience que Fran.»

Bouchard sourit. «Ça, je ne vous le fais pas dire. Et elle vient encore de le prouver.»

Lançant un regard inquiet vers le couloir menant à la chambre à coucher principale, Kevin questionna: «Savez-vous quand l'examen médical de mon neveu sera terminé? Le pauvre gamin a vécu un enfer et je voudrais le raccompagner chez nous dès que possible.

— Ça ne devrait plus être long. Mais vous devez comprendre qu'il est nécessaire de faire cet examen sans tarder, pour pouvoir collecter un maximum d'indices avant que ceux-ci ne s'effacent.»

Un moment plus tard, David réapparut, accompagné par l'ambulancière qui l'avait ausculté. Son œil au beurre noir avait pris une hideuse teinte violette, mais ses lèvres n'étaient plus aussi gonflées et ne l'empêchaient nullement de mâcher avidement une barre de chocolat.

«Je me suis permis de lui donner un snack, dit l'ambulancière à Kevin lorsqu'ils furent devant lui. Ce courageux garçon mourait de faim.

— C'est très aimable, je vous en remercie. David, peux-tu m'attendre une minute pendant que je parle à cette gentille dame?

— D'accord, oncle Kevin. Mais pas trop longtemps. J'ai hâte de partir d'ici.

— Alors? demanda Kevin à la jeune femme après qu'ils se furent éloignés de quelques pas. Avez-vous découvert des traces de…» Il ne parvint pas à prononcer le mot.

«Viol? Anal, non. Mon examen confirme les dires de votre neveu. Il n'y a pas non plus traces de lésions buccales, ce qui corrobore le fait qu'il aurait mordu le pénis du prédateur dès l'insertion initiale. J'ai tout de même fait un prélèvement pour analyse, à tout hasard. En ce qui concerne les attouchements que l'homme lui aurait administrés, ils n'ont pas laissé de traces physiques, ce qui est une bonne chose.

Souvent les détraqués de ce genre perdent tout contrôle sous l'emprise de l'excitation.

— Et les blessures de son visage ?

— Superficielles, heureusement. L'entaille au cuir chevelu ne nécessite pas de sutures et l'ecchymose périorbitaire devrait se résorber dans les dix jours. Quant à la perte de connaissance dont parle David, elle indique une commotion cérébrale. J'ai testé ses réflexes, son équilibre et ses réactions oculaires, et tout paraît normal. En l'absence de vomissements, maux de tête violents, perte de conscience ou d'équilibre, ou capacité de raisonnement diminuée, il n'est pas conseillé de lui faire un CAT-scan. C'est trop de radiations à cet âge. Mais je vous recommande de prendre rendez-vous avec son pédiatre dès que possible pour une seconde évaluation. Il est également nécessaire qu'il s'abstienne de tout sport ou activité physique pouvant occasionner un nouveau choc à la tête, et ce pendant plusieurs semaines.

— Je vous remercie pour votre gentillesse et pour toutes ces précisions, dit Kevin en serrant la main de l'ambulancière.

— Je vous en prie, c'est mon métier. » Elle lui avait répondu avec un sourire modeste. « Mr. O'Hagan, ajouta-t-elle avant qu'il ne s'éloigne, votre neveu m'a parlé de l'assassinat de ses parents. Ce qui s'est passé aujourd'hui ne peut qu'ajouter à son traumatisme. Il est donc crucial qu'il voie dans les plus brefs délais un psychothérapeute spécialisé.

— Oui, il suit déjà une thérapie. Merci encore. »

Il fit signe à David qui accourut, et il lui passa un bras autour des épaules.

« Rentrons chez nous, mon bonhomme. »

PARTIE XI

56

Pendant toutes ces années, il s'était cru hanté par le fantôme de sa femme, alors que c'était son propre avatar qui l'avait inlassablement tourmenté. N'avait-il pas accepté son sort? Abdiqué en laissant Nicole le transformer d'homme indépendant en créature servile? Et était-elle vraiment à blâmer pour cette dérive? Elle avait cru en lui et lui avait donné les moyens de poursuivre son rêve, preuves d'amour et de confiance s'il en était. Comme de juste, c'était à lui qu'avait incombé la tâche de séduire le public. Et s'il avait échoué, elle n'y était pour rien. Certes, l'égoïsme de son épouse avait été cruel, mais n'aurait-il pas dû, dès leur première rencontre, en voir les présages dans le caractère de celle dont il était néanmoins tombé amoureux?

La paternité lui avait donné une nouvelle raison de vivre, mais aussi une excuse pour son abnégation. Il y avait trouvé la justification pour ne pas faire de choix difficiles. Tolérer l'inacceptable s'était révélé plus facile que défendre son droit au respect. Il aurait dû taper du poing sur la table alors qu'il en était encore temps. Se rebeller contre l'injustice dont il était quotidiennement victime. Et affirmer sa place dans leur couple au risque d'être acculé au divorce. Sa femme ne l'espérait-elle peut-être pas elle-même? Il n'en avait rien fait.

Et une fois Nicole morte et Nora partie pour l'université, il était demeuré seul devant ce constat sans appel: il avait été incapable de prouver sa réelle valeur à sa femme. Encore une échappatoire, car la seule personne qu'il lui fallait convaincre n'était autre que lui-même.

David était arrivé dans sa vie, *in extremis*. Dès le voyage de retour dans le Vermont, le lendemain de l'enterrement de ses parents, la vulnérabilité du garçon avait réveillé sa fibre paternelle, engourdie par tant d'années de chagrin, et le courage de l'enfant lui avait fait honte de son propre désespoir. Au fil des jours, et aussi de ces nuits tourmentées de cauchemars, sa gentillesse avait réchauffé son vieux cœur refroidi, et son optimisme face à l'adversité lui avait réappris à jouir de l'instant, nuageux comme ensoleillé. David l'avait pris par la main et ne l'avait plus lâché, l'entraînant dans son univers et dans ses jeux comme Nora si longtemps auparavant. Loin de lui fournir de nouvelles excuses, son neveu lui avait permis d'accepter ses limites. Et son enlèvement l'avait forcé à les dépasser.

57

Comme la majorité des animaux, les humains sont tributaires de leur rythme circadien, cette horloge interne, réglée sur vingt-quatre heures, qui régit nos périodes de veille et de sommeil. Au coucher du soleil, la glande pituitaire se met à produire de la mélatonine, l'hormone de la nuit qui réduit la vigilance de l'individu et facilite l'ensommeillement. Tromper ce rythme de façon durable n'est pas chose facile, comme le savent bien travailleurs nocturnes, équipages d'avions commerciaux, prostituées et autres fêtards invétérés. Si certains prennent des drogues et d'autres des infusions de maté dans l'espoir de demeurer éveillés au-delà de ce que la nature recommande, la plupart consomment d'abondantes quantités de café. Et à cette règle, les policiers ne font pas exception.

Cela, la femme rousse, infirmière diplômée, en était parfaitement consciente. De même qu'elle connaissait l'effet diurétique de la caféine au-delà d'une consommation quotidienne moyenne de 550 milligrammes, soit plus de quatre tasses de café ordinaire. En bref, qui boit pisse et, à quantités de breuvages identiques, qui boit plus de café pisse plus souvent. Ça n'était donc qu'une question de temps avant que le flic, assis au volant de la voiture de patrouille garée devant la porte de O'Hagan, doive aller se soulager la vessie. Et elle savait être patiente.

291

Elle avait repéré l'arbre le plus proche du véhicule – elle doutait fortement qu'un officier de police eût le mauvais goût d'uriner devant le porche de la personne qu'il avait pour tâche de protéger, et cachée dans un buisson juste derrière celui-ci, elle attendait le moment propice.

La balle tirée par la carabine de O'Hagan l'avait laissée momentanément sonnée, affalée, le souffle coupé, contre la paroi. L'achever aurait été pour lui un jeu d'enfant, mais cet idiot d'Irlandais avait préféré s'occuper de sa vieille copine. Erreur monumentale qu'elle entendait lui faire regretter. Si l'impact avait été violent, et la douleur effroyable, les dégâts auraient pu être considérablement pires. Pénétrant sous la clavicule gauche, la balle avait brisé deux côtes, perforé un bon nombre des muscles de l'épaule et emporté un morceau d'omoplate en sortant. Mais, en épargnant l'artère subclavière, la veine axillaire et le poumon, ainsi, bien sûr, que le cœur, elle n'avait pas infligé de blessure mortelle. Qui plus est, la coiffe des rotateurs et la tête de l'humérus étaient indemnes et ses articulations fonctionnaient toujours. Elle avait donc conservé l'usage de son bras et de sa main gauches, même si c'était au prix de souffrances intenses.

S'aidant de son bras indemne, la femme avait récupéré sa lampe de poche tombée sur le sol, s'était péniblement relevée et, son Ruger SR9 à la main, s'était dirigée en chancelant vers les escaliers. Parvenue dans le séjour, elle avait agrippé les clés d'une des voitures volées ainsi que sa trousse médicale, qui ne lui servait plus depuis longtemps à accomplir son serment de Nightingale[1], mais au contraire à aider son cousin dans ses débauches. Elle avait été tentée de s'administrer une injection de morphine dans l'épaule, mais avait jugé plus prudent de mettre d'abord de la distance

---

1. Serment prêté par les futures infirmières à la fin de leur formation professionnelle et analogue au serment d'Hippocrate prêté par les futurs médecins.

entre elle et la police qui, nul doute, avait été alertée. Elle avait grimpé dans la voiture, placé la trousse et son pistolet à côté d'elle et, après avoir défait le foulard de son cou et s'en être servie comme d'une compresse sur la blessure, elle avait démarré. Prenant la direction du nord, elle s'était efforcée de respecter les limitations de vitesse, pour ne pas attirer l'attention.

Elle avait atteint la Ethan Allen Highway quand étaient apparus, loin devant elle mais se rapprochant rapidement, les gyrophares des voitures de police. À l'intersection avec la Highway 116, elle avait tourné à droite et continué sur cette route en direction de Bristol. Ce n'est que six miles plus loin qu'elle s'était engagée sur Abbey Pond Road, où, à l'abri de la forêt, elle avait enfin pu soigner et bander sa blessure et traiter sa douleur. Sa tête tournait à cause de la perte de sang et, outre la morphine, qu'elle avait dosée au minimum pour rendre la douleur supportable mais éviter autant que possible l'effet sédatif de l'opioïde, elle s'était injecté une seringue d'adrénaline. Du siège arrière, elle avait ensuite récupéré le sac contenant les restes de son déjeuner et avalé une moitié de burger froid qui s'y trouvait. Son corps avait besoin de fer. Puis elle avait repris la route en direction de la résidence de O'Hagan et de sa vengeance.

À la sortie de Bristol, elle avait aperçu plusieurs voitures garées pour la nuit sur une aire de stationnement. Éteignant ses feux, elle s'était parquée discrètement entre deux d'entre elles et avait eu vite raison de la serrure d'une Ford Bronco. Répétant des gestes accomplis cent fois et plus au cours des années, elle avait utilisé les fils de la batterie, de l'allumeur et du démarreur pour court-circuiter la colonne de direction et faire tourner le moteur. Puis, à l'aide d'un tournevis gardé à cet effet dans sa trousse médicale, elle avait brisé le verrou de direction. Quelques instants plus tard, elle poursuivait sa route au volant de son nouveau véhicule.

Elle était arrivée à destination longtemps avant O'Hagan et son escorte de police. Elle n'avait pas ralenti à l'intersection avec le chemin privé, mais avait continué sur une centaine de mètres avant d'enfoncer brutalement la Bronco dans le sous-bois. Les pneus surdimensionnés et la transmission intégrale avaient rendu cette tâche facile. Après s'être assurée que la voiture était invisible de la route, elle s'était approchée à pied de la maison, le Ruger dans la poche de sa veste et sa trousse en bandoulière. Elle avait eu largement le temps de reconnaître les lieux et de mettre au point un plan d'action quand les trois voitures de patrouille étaient apparues. Les deux premières s'étaient arrêtées de part et d'autre de l'entrée du chemin, de façon à en protéger l'accès. La troisième s'était rangée devant le porche où après avoir déposé O'Hagan et son neveu, elle avait monté la garde. À sa grande satisfaction, elle n'était occupée que par un policier.

Du gâteau.

Son bras la faisait de nouveau souffrir. Retirant une seringue de son sac, elle s'était fait une seconde injection de morphine, plus forte que la première. L'absence de douleur allait donner à ce membre une plus grande mobilité, ce dont elle aurait besoin. Elle avait avalé ensuite trois cachets d'amphétamine pharmaceutique pour stimuler sa vigilance et augmenter son endurance. Une fois n'était pas coutume.

58

D'habitude, c'était son cousin qui consommait ces drogues, pour accroître et prolonger l'extase de ses pulsions
sexuelles et de ses homicides. Ce cousin de deux ans son
aîné, abandonné par sa mère et dont le père était mort
d'overdose lorsqu'il n'avait que quatre ans, avait été recueilli
pas sa tante et son mari, ses parents à elle, dans leur maison
de la banlieue de Philadelphie. Elle avait grandi avec lui
comme avec un frère, et il avait été son premier amant. Elle
avait dix ans, lui douze.

Elle avait été également la première à découvrir ses travers,
avant même qu'il n'en prenne lui-même conscience. À peine
son corps de fillette avait-il commencé à montrer les premiers
signes de puberté que lui, jusque-là si fougueux et passionné,
ne l'avait plus touchée. Quelque temps plus tard, elle l'avait
surpris à plusieurs occasions en position compromettante
avec de très jeunes garçons et filles, qu'il avait soudoyés grâce
à son agent de poche pour le laisser *jouer avec eux*, comme
il disait. Puis vint le temps de partir à l'université, lui pour
poursuivre une licence en informatique à Virginia Tech et
elle, deux ans plus tard, pour faire son école d'infirmière
à Quinnipiac University, dans le Connecticut.

Elle venait d'obtenir son diplôme quand il l'avait appelée,
ce qu'il n'avait pas fait depuis son départ pour la Virginie. Il
tenait à la féliciter et lui donner des nouvelles. Il travaillait

maintenant pour une société de Richmond. Elle avait su d'emblée qu'il lui cachait quelque chose.

«Qu'est-ce qui ne va pas?

— J'ai un petit problème, avait-il répondu sans se départir de son calme. Peux-tu me rejoindre au plus vite?»

Sans poser plus de question, elle avait sauté dans sa voiture et, sept heures de route plus tard, avait sonné à la porte de son cousin. Le petit problème s'était révélé être le corps inerte et nu d'un garçon de neuf ans étendu sur le lit de la chambre d'amis. Elle n'avait pas posé de questions. Un bref examen lui avait permis de déterminer la cause du décès: œdème et cyanose du visage et de la langue, ecchymose bilatérale au niveau du cou, apparente fracture de l'os hyoïde et hémorragie pétéchiale sur le blanc des yeux, tout indiquait la strangulation. Elle avait également vite réalisé que l'enfant avait subi des sévices sexuels répétés et variés.

«Tu as utilisé des préservatifs? avait-elle enfin demandé.

— Oui, je te l'assure.

— Bien.»

Sur sa direction, et en utilisant des gants de vaisselle, ils avaient d'abord lavé le corps dans la baignoire, puis l'avaient enrobé d'un drap propre. L'enfant était petit pour son âge et ne devait pas peser plus de trente kilos. Ils n'avaient eu aucune difficulté à l'enfermer dans l'une des valises de son cousin et, discrètement, à placer celle-ci dans le coffre de sa voiture. Surprise que son cousin eût choisi un terrain de chasse à l'autre bout de la ville, c'était elle qui avait décidé d'abandonner le corps non loin du lieu de l'enlèvement, pour concentrer l'attention de la police et de la presse à cet endroit. De retour chez son cousin, ils avaient refait le lit de la chambre d'amis et s'étaient couchés comme si de rien n'était.

Depuis ce jour, ils ne s'étaient plus quittés. Elle ne l'avait jamais questionné. Cerveau de leur duo machiavélique, elle décidait de la méthode, des moyens et des lieux des enlèvements, du moment propice pour changer d'horizon et de la région où s'établir. Elle n'avait pas tenté d'influencer les perversions de son cousin, encore moins de lui faire y renoncer, mais ne s'y était jamais adonnée. Tout au plus, vu les préférences particulières de ce dernier – garçons impubères à la chevelure rousse et au teint pâle –, avait-elle insisté pour qu'il choisisse une fille de temps à autre, afin d'éviter d'attirer l'attention des profileurs du FBI. Elle avait également enseigné à son cousin tout ce qu'elle avait appris d'un ancien petit ami sur le vol de voitures, du type de véhicule à choisir au crochetage de la serrure et au démarrage sans clé du moteur. À sa grande satisfaction, il avait vite maîtrisé cette technique.

Ne participant activement qu'aux enlèvements et à la séquestration des victimes, et parfois mais pas toujours à l'abandon des corps, elle ne s'était jamais demandé si ses agissements étaient justes ou moraux. Consciente d'être impliquée dans des activités hautement criminelles, pour lesquelles, si elle était arrêtée par les autorités, elle encourrait la peine capitale, elle n'en avait cure. Pas plus que la terreur et la souffrance des victimes et de leurs familles ne l'empêchaient de trouver le sommeil. Et si on lui avait demandé la raison de sa complicité dans ses crimes, elle aurait probablement répondu, à l'instar de Montaigne : « Parce que c'était lui, parce que c'était moi. »

Mais, avec le temps, son cousin était devenu de plus en plus sûr de lui, orgueilleux et fier. Il avait progressivement pris goût à défier la justice. Il en était même arrivé à négliger parfois d'utiliser des préservatifs – un risque qu'il savait parfaitement être considérable – sous prétexte qu'ils limitaient son plaisir. Ses actes avaient également revêtu un caractère plus personnel. Une fois son dévolu jeté sur une victime potentielle, il n'avait de cesse que la posséder et s'en repaître. Cet aspect obsessionnel avait revêtu une importance catastrophique dans le cas du petit David. Hystérique, incapable de tempérer son désir, il avait pris des risques inconsidérés qui s'étaient traduits par un premier enlèvement manqué et le double meurtre des parents du gamin. Depuis, l'échec lui était devenu inacceptable et tout changement de cible impensable.

Malgré son insistance à quitter la région, le cousin avait fait fi de toute prudence et entrepris de traquer le garçon à travers la Nouvelle-Angleterre. Au moins avait-elle réussi à le convaincre, une fois l'enfant localisé au nord-ouest du Vermont, de sélectionner soigneusement leur planque et d'attendre la belle saison pour agir, afin de se dissimuler au milieu de la forêt et des touristes. Pendant ces mois d'attente et de frustration, il avait conçu une haine féroce pour O'Hagan et son amie, l'ancienne shérif Murray, à cause du rempart qu'ils constituaient entre lui et sa proie et par jalousie pour l'intimité qu'ils avaient avec elle.

Elle, de son côté, en avait profité pour planifier les détails de l'enlèvement. Des semaines durant, elle avait patiemment et discrètement surveillé l'école de David et s'était familiarisée à distance avec les procédures, les horaires des cours et des récréations, ainsi que les allées et venues des surveillants et écoliers. Elle avait également pris l'habitude de se promener chaque jour à l'heure de la récréation du garçon non loin de l'aire de jeux avec un chien acquis dans un refuge du coin. Comme elle s'y attendait, personne ne fit attention à elle. Une brave bourgeoise promenant son toutou, quoi de plus innocent et commun dans cette région bucolique ?

Durant ses promenades, elle avait observé que David passait la plus grande partie de ses récréations assis sous le gazébo en bordure du terrain de jeux à bavarder et rire avec quelques amis. Son groupe et lui étaient également parmi les derniers à retourner dans l'école quand la sonnerie retentissait et se trouvaient ainsi souvent éloignés des deux surveillants qui, ayant en charge plus de quatre-vingts élèves par récréation, avaient fort à faire. Elle en avait conclu qu'il lui serait tout à fait possible, grâce au chien, d'attirer le gosse vers elle et de l'emmener à sa voiture sous la menace discrète d'un pistolet avant que quiconque ne puisse réagir et encore moins l'en empêcher. Au pire, si un surveillant faisait de l'excès de zèle et tentait de s'interposer, elle n'aurait qu'à tirer en l'air pour créer une panique complète.

Ce matin-là, donc, pistolet dans le sac à main, une voiture nouvellement volée garée sur l'une des places visiteurs à l'entrée du parc de stationnement et chien en laisse, elle déambulait innocemment, prête à saisir le moment opportun. Elle avait été brièvement dépitée quand, dès la sonnerie, elle avait vu David se dresser sur ses jambes et se diriger prestement vers les bâtiments. Elle avait cependant remarqué que, dans sa précipitation, le garçon avait oublié sa gourde d'eau derrière lui, et n'en avait pas cru sa chance, sachant que l'aire de jeux était déserte durant les cours et qu'il serait ainsi enfantin de l'enlever lorsqu'il retournerait la chercher. Elle avait immédiatement appelé son frère et lui avait donné le feu vert pour créer la diversion dont ils avaient discuté à l'avance. Puis elle avait attendu que le gosse revienne. Ce qui, vu la chaleur, n'avait pas tardé.

Et tout s'était déroulé au mieux de ses espérances. Elle n'avait même pas eu besoin d'utiliser la seconde voiture volée, stratégiquement positionnée sur sa route au cas où la première serait identifiée par un témoin ; il n'y en avait eu aucun.

Mais à cause de sa haine et de son hubris, son cousin avait pris le risque insensé, pour le narguer et jouir du son de son angoisse, d'appeler l'oncle une fois le neveu entre leurs mains, et ils avaient ainsi été découverts. Car même si elle ignorait exactement comment, elle était convaincue que David était parvenu, dans son bref échange avec O'Hagan, à lui communiquer un indice crucial.

Son cousin en était mort. Et maintenant elle allait le venger.

59

Émotionnellement et physiquement épuisés, Kevin et David titubèrent vers la porte de leur maison. Sortant ses clés de sa poche, Kevin dut s'y prendre à deux reprises avant de parvenir à déverrouiller la serrure. Une fois à l'intérieur, il fit un signe au policier installé dans sa voiture, referma la porte d'un coup de talon et poussa le verrou. Après avoir suspendu sa veste de chasse au portemanteau de l'entrée, il se dirigea vers le salon tandis que David se versait un verre de lait dans la cuisine. Retirant son Colt de sa ceinture, Kevin le remit machinalement à sa place derrière la photo de Nicole, sur le dernier rayon de la bibliothèque.

« Mets-toi en pyjama et brosse-toi les dents, mon grand, dit-il à David tandis qu'ils montaient à l'étage. Je vais vite me préparer et je viens te dire bonne nuit. »

L'enfant hésita. « J'aimerais prendre une douche avant de me coucher. Je me sens… sale. » Il montra du doigt la figure de son oncle. « Tu devrais en faire autant.

— Bonne idée », acquiesça Kevin, se fustigeant mentalement de ne pas y avoir pensé.

Dans la salle de bains, un rapide coup d'œil dans le miroir lui confirma le bien-fondé de la recommandation de David. La teinture de camouflage, la sueur et le sang de Fran s'étaient combinés pour faire de son visage un masque effrayant.

Quelques minutes plus tard, fraîchement lavés et en pyjamas, ils étaient tous deux allongés sur le lit du garçon.

« Veux-tu que je te raconte une histoire ? demanda Kevin.

— Non merci. Je suis trop fatigué », répondit David en bâillant. Tournant des yeux anxieux vers lui, il ajouta : « Peux-tu dormir avec moi cette nuit ? Je ne veux pas rester seul.

— Bien sûr, dit Kevin en l'embrassant sur les deux joues. D'ailleurs moi aussi, j'ai besoin de compagnie. »

Il avait craint que, après le calvaire qu'il avait vécu, le garçon n'ait de la peine à s'endormir ou ne fasse de violents cauchemars. Mais leurs yeux à peine fermés, ils sombrèrent dans un profond sommeil sans rêves.

60

Finalement, son attente avait payé. La portière de la voiture de patrouille venait de s'ouvrir et elle vit en sortir le policier, éclairé par les appliques murales du porche. C'était un homme de taille et d'âge moyens, aux épaules basses et cheveux en brosse. D'un geste machinal, il rehaussa son ceinturon de service, auquel étaient attachés, outre un pistolet de gros calibre et un étui à munitions, une matraque télescopique, un talkie-walkie, un vaporisateur de gaz Mace, un taseur, une Maglite et un étui à menottes. Comme elle s'y attendait, il portait son gilet pare-balles réglementaire par-dessus sa chemise d'uniforme.

Allumant sa Maglite, et la tenant au-dessus de l'épaule, le policier scruta les environs, s'attardant sur la lisière du bois où elle se trouvait. Accroupie derrière le buisson, son bistouri à la main, elle retint son souffle. Apparemment satisfait de son observation, l'homme éteignit sa lampe torche, la raccrocha à sa ceinture et se dirigea à grands pas vers l'arbre qu'elle avait repéré.

Les hommes sont tellement prévisibles, pensa-t-elle en resserrant sa prise sur l'acier de l'instrument chirurgical. Le policier s'arrêta devant l'arbre, défit sa braguette et commença à uriner avec un soupir de contentement.

La femme se jeta sur lui.

Avant que l'homme puisse réagir, elle taillada son pénis d'un mouvement sec. Sous l'effet de la douleur, le policier se courba en avant en émettant une plainte gutturale, les mains sur son membre ensanglanté. Le saisissant par les cheveux, elle força sa tête en arrière et larda sa gorge de furieux coups de bistouri, tranchant avec précision la veine jugulaire et l'artère carotide, déchirant le larynx et sectionnant les cordes vocales. Un gargouillement obscène s'échappant de sa trachée fut le seul son que le malheureux put émettre. L'uniforme inondé du sang jaillissant par à-coups de ses blessures, il tomba à genoux, comme prosterné devant elle. Levant des yeux remplis d'un mélange de surprise et de supplique, il bougea silencieusement ses lèvres et hoqueta, puis s'effondra sur le côté, mort avant même de toucher terre.

La femme essuya soigneusement la lame du bistouri sur son pantalon et le replaça dans sa trousse. Après un rapide coup d'œil alentour, elle agrippa le corps du policier par les aisselles et le traîna derrière l'arbre. Elle s'empara ensuite de sa Maglite et, furtivement, se dirigea vers la maison de O'Hagan.

61

Kevin se réveilla en sursaut. Désorienté, il se demanda pendant un instant ce qui l'avait tiré de son sommeil. Un bruit, c'était cela, le bruit d'un verre cassé... ou d'une vitre brisée! Et ça venait d'en bas. Le cadran lumineux du réveil indiquait 3 h 30. À ses côtés, David dormait.

Silencieusement, Kevin balança ses jambes hors du lit et ouvrit délicatement le tiroir de la table de nuit. Il tâtonna, cherchant son Colt, mais le tiroir était vide. C'est alors qu'il se souvint de l'avoir rangé sur l'étagère de la bibliothèque – sa place de jour – au lieu de le prendre avec lui quand il était monté se coucher.

Merde!

À l'exception d'une vieille batte de baseball dans le garage, il n'avait pas d'autres armes dans la maison. La veille, il avait dû remettre la carabine Browning de Fran à la police pour les analyses balistiques.

Un autre bruit, un léger frottement de pas, lui parvint aux oreilles. Plus de doute, quelqu'un s'était introduit chez lui et ce n'était certainement pas le policier en faction devant sa porte. *Ce connard a dû s'endormir*, pensa-t-il. Et dire qu'à cause de sa présence rassurante et de celle de ses collègues à l'entrée du chemin, il n'avait pas cru bon d'enclencher le système d'alarme! Que faire? Se placer en embuscade derrière la porte et attendre que l'intrus pénètre dans la chambre pour lui sauter dessus ? Certainement la solution la plus logique vu les circonstances. Il n'était jamais recommandé d'errer désarmé et à l'aveuglette à la recherche d'un malfaiteur à l'affût. Mais cela revenait à exposer directement David au danger sans lui laisser aucune possibilité de fuir ou de se cacher s'il ne parvenait pas à maîtriser l'agresseur. Non, il n'avait pas le choix, il lui fallait descendre dans le salon et tenter d'atteindre son pistolet.

Plaçant une main sur la bouche de David, il lui secoua doucement l'épaule. L'enfant ouvrit des yeux d'abord ensommeillés puis remplis d'effroi, son cri étouffé par la main de Kevin.

«Chut, murmura ce dernier à son oreille. Ne fais pas de bruit, mon grand. Tu comprends ?»

Le garçon fit oui de la tête, tandis que des larmes pointaient au coin de ses yeux.

«Je crois qu'il y a quelqu'un en bas. Je vais aller voir. Cache-toi derrière la commode et n'en bouge pas jusqu'à ce que je t'appelle, d'accord ?»

Nouveau hochement affirmatif. Kevin retira sa main et l'enfant se jeta à son cou, le serrant fort dans ses bras, sa joue contre la sienne.

«Sois prudent, je t'en supplie», chuchota-t-il avant d'aller prendre sa place à pas feutrés derrière le gros meuble.

En faisant le moins de bruit possible, Kevin sortit de la chambre et longea le couloir. Parvenu au sommet de l'escalier, il tendit l'oreille. Rien. Dos au mur, il descendit les quatre premières marches et s'arrêta, scrutant l'obscurité pour tenter de repérer l'indice d'une menace. Mais tout semblait paisible.

Aurait-il rêvé ? Après les événements de la soirée, ça n'aurait rien eu d'étonnant. Ou alors s'agissait-il d'une souris essayant de s'introduire dans le garde-manger de la cuisine ? Ça ne serait pas la première fois. Si intrus il y avait, celui-ci s'était-il dirigé vers le bureau afin de dénicher des objets de valeur ? Depuis là où il se trouvait, il n'avait pas vue sur cette pièce.

Prenant une profonde inspiration, il descendit le restant des marches et se dirigea vers la bibliothèque du salon. Il n'avait plus que deux pas à faire quand soudain la lumière du plafonnier s'alluma. Ébloui, il cligna des yeux.

Une silhouette se tenait debout, non loin de la porte d'entrée, de façon à en bloquer l'accès. Dans le noir, il l'avait frôlée sans la voir, ironique retour des choses après les événements de la nuit. Elle le regardait fixement de ses yeux couleur d'eau trouble. Son bras gauche pendait à son flanc, sous une manche durcie par le sang séché. Sa main droite pointait un pistolet semi-automatique sur sa poitrine.

« Reste où tu es, O'Hagan, dit-elle d'une voix cassante. Et tiens tes mains bien en vue. »

Elle avança de quelques pas, se positionnant entre Kevin et les escaliers. Elle avait dû être présente lorsque les parents de David avaient tenté de protéger l'enfant et n'entendait pas lui laisser le moindre espoir de le secourir.

« Rendez-vous, dit Kevin, en essayant de gagner du temps. La police est à vos trousses. Il y a un officier devant la porte et deux autres dans les voitures stationnées au bout de l'allée. Si vous tirez, ils seront ici en quelques secondes. Vous n'avez aucune chance de vous en sortir. Il est temps d'arrêter cette folie. »

La femme rousse lui décocha un sourire mauvais. « Le flic qui gardait ta porte n'est plus à même d'exercer ses fonctions. Quant aux autres, d'ici à ce qu'ils débarquent, vous serez déjà morts, toi et le gamin, et moi très loin. »

Kevin serra les poings, cherchant furieusement des yeux un objet qui pourrait lui servir d'arme. Seul le cendrier en onyx sur la table à café aurait pu faire l'affaire, mais il était hors de portée.

Elle suivit son regard et secoua la tête. «N'essaye même pas. À cette distance, je ne peux pas te rater.» Elle accompagna l'avertissement d'un léger mouvement du canon de son arme.

«Tu devais être sûr de toi ou épuisé pour oublier d'enclencher ton alarme, remarqua-t-elle en pointant du menton le boîtier accroché au mur du vestibule. Moi qui croyais ne pouvoir disposer que de quelques secondes pour vous liquider, je suis plaisamment surprise de pouvoir prendre mes aises.

— Écoutez, plaida Kevin. Abattez-moi, soit. Vous avez déjà grièvement blessé mon amie, et elle est peut-être décédée à l'heure qu'il est. Nous sommes les seuls responsables de votre blessure et de la mort de votre complice...

— Mon cousin! cria-t-elle. C'est mon cousin que vous avez lâchement exécuté.»

Kevin serra les dents. «Si c'est la vengeance que vous recherchez, torturez-moi, tuez-moi. Mais ne faites pas de mal à l'enfant. C'est une victime innocente. Il n'y est pour rien.»

Un nouveau sourire malfaisant apparut sur ses lèvres.

«Bien sûr qu'il est innocent, comme tous ceux sur lesquels mon cousin a jeté son dévolu. Et je n'ai absolument rien contre lui. Mais pour que ma vengeance soit complète, je veux t'infliger la souffrance de le voir mourir avant de te butter.

— Je vous en supplie, ne faites pas ça! implora Kevin.

— David! appela la femme sans détourner son regard de lui. David, mon garçon, descends tout de suite. Rejoins-nous au salon, si tu ne veux pas que je fasse du mal à ton oncle.

— Non, ne viens pas, David! hurla Kevin à pleins poumons.

— Ta gueule, O'Hagan! gronda-t-elle. Encore un mot et je te jure qu'au lieu de le flinguer je l'étranglerai lentement avec ses propres tripes.»

Avec répugnance, Kevin obéit, priant intérieurement que David demeure caché.

Mais quelques instants plus tard, des pas se firent entendre à l'étage, puis le grincement familier des marches de l'escalier. Tout était perdu.

Gardant soigneusement Kevin en joue, la femme vit apparaître du coin de l'œil les jambes, puis le torse de l'enfant et ricana méchamment. «Va rejoindre ton oncle. Vite!»

Arrivé sur l'avant-dernière marche, David leva brusquement le bras et lança de toutes ses forces une balle de baseball à la tête de la femme. Qui, prise de court, n'eut pas le temps de l'esquiver et la reçut de plein fouet sur la tempe. Criant de rage plus que de douleur, elle tourna son arme vers l'enfant et tira.

David!

62

Avec l'énergie du désespoir, Kevin s'élança vers la bibliothèque. Balayant de la main la photo encadrée, il empoigna le pistolet et, d'un coup de pouce, libéra le cran de sûreté.

Dans son dos, une nouvelle détonation retentit. Une balle frôla sa tempe avec un bruit de frelon.

Sans laisser le temps d'une autre tentative, il pivota sur lui-même, leva son Colt et vida le chargeur dans la poitrine de la femme. Projetée en arrière comme par une massue, celle-ci vint s'écraser, déchiquetée par les projectiles, contre la rampe de l'escalier avant de s'étaler de tout son long aux pieds du corps de David.

Malgré ses blessures, elle bougeait encore. Et, avec des mouvements saccadés, elle pataugeait dans son sang en tentant de se relever.

Kevin lâcha son pistolet et bondit sur elle. Lui arrachant le Ruger des doigts, il lui enfonça le canon de l'arme entre les mâchoires et pressa la détente.

Un spasme violent secoua le corps de la femme, puis il n'y eut plus rien. Plus rien que le silence.

«C'est fini?» demanda une petite voix depuis les escaliers, lorsque le dernier écho des coups de feu se fut dissipé. Le souffle rauque, Kevin leva les yeux et aperçut le visage de David entre les piliers de la rampe d'escalier.

«David, mon chéri, tu n'es pas blessé?» s'inquiéta-t-il en s'approchant de lui.

Le garçon sourit. «Non. Après avoir lancé la balle, je me suis plaqué par terre. Elle m'a manqué, regarde.» Du doigt, il montra un trou dans le mur, vingt centimètres au-dessus de sa tête.

Le prenant dans ses bras, Kevin le couvrit de baisers, l'étreignant pendant de longues minutes.

«C'est fini, cette fois? demanda de nouveau l'enfant.

— Oui, mon grand. Cette fois, c'est bien fini. On va pouvoir recommencer à vivre normalement.»

ÉPILOGUE

63

Lorsque finalement il avait dû se servir du vieux Colt de son père, ce ne fut pas un geste de désespoir, mais un acte de survie. Lui qui avait si longtemps désiré en finir avec l'existence s'était battu pour défendre la sienne et surtout celle du seul être humain qui lui avait redonné goût à la vie. Une fois l'arme rangée dans son tiroir, il sut qu'il n'aurait plus jamais à l'en ressortir.

64

L'été s'était écoulé à la vitesse de l'éclair. Il faut dire qu'il avait été richement rempli.

Fran avait failli succomber à sa blessure. Revenue à elle dans l'hélicoptère grâce à la perfusion administrée par les ambulanciers, elle était tombée dans le coma à son arrivée à l'hôpital ; les médecins avaient découvert que la balle qui lui avait arraché l'oreille avait également causé une hémorragie sous-durale. Opérée d'urgence, son cœur s'était arrêté de battre pendant près de deux minutes. Mais l'ex-shérif n'avait pas dit son dernier mot et, après un massage cardiaque intense et le recours à un défibrillateur, l'organe avait redémarré comme si de rien n'était. Au grand soulagement de tous, elle avait repris conscience dans l'après-midi et récupéré en un temps record. Edna avait passé ses nuits à l'hôpital sur un lit de camp à ses côtés, et Kevin et David étaient venus lui rendre visite tous les jours. Mais interdite de scotch et de cigare par le règlement de l'établissement, Fran avait vite piaffé d'impatience pour rentrer chez elle et avait rendu la vie tellement impossible à son équipe traitante qu'ils avaient consenti à lui permettre de sortir plus tôt que prévu.

Après en avoir longuement discuté avec Edna, elle avait renoncé à se laisser pousser les cheveux ou à faire appel à la chirurgie esthétique, préférant arborer fièrement sa mutilation.

Et si, comme Larry Walsh l'avait pressenti, les autorités avaient renoncé à mettre en examen Kevin et Fran, il n'avait cependant pas été question de médailles.

Sans surprise, David avait subi le contrecoup de ses épreuves, qui se manifestait en une grande nervosité et de soudaines crises d'anxiété de jour, ainsi que de nouveaux violents cauchemars la nuit. Comme un naufragé s'agrippant à une bouée, le garçon redoutait de s'éloigner de son oncle, et ce fut à la maison qu'il termina son année scolaire, Kevin lui servant de tuteur.

Entouré de patience et d'amour, avec l'aide experte de sa psychologue, sans compter une volonté farouche de sa part, David fit des progrès remarquables. S'il serait impossible de complètement effacer les cicatrices de son calvaire, avait prévenu la thérapeute, il montrait une disposition singulière à limiter l'impact de celui-ci sur sa vie de tous les jours. Déterminé à ne pas se laisser définir par le traumatisme qu'il avait subi, il avait refusé d'emblée de se voir en victime. Au grand soulagement de Kevin, la psychologue était confiante que sa sexualité naissante ne serait pas durablement affectée par les sévices endurés. David s'était pris d'affection pour cette femme à la voix douce et au regard plein d'indulgence, et avait embrassé sa thérapie. À tel point qu'il réussit à convaincre son oncle d'en entamer une de son côté. À sa propre surprise, Kevin ne le regretta pas. Car lui aussi, et plus que tout autre, avait besoin de soulager son cœur et son âme du trop-plein de détresse, rancœur et regrets qui les avait si longtemps alourdis.

David parvint également à persuader Kevin d'inviter Wendy James à dîner chez eux et fut ravi de voir qu'après quelques réticences son oncle ne s'était pas montré insensible au charme et à la bonne humeur de sa professeure de musique. Au fil des semaines, les visites de Wendy devinrent plus fréquentes, durant parfois jusque tard dans la nuit, bien après l'heure du coucher de l'enfant.

Kevin et David passèrent le mois de juillet et une partie de celui d'août à sillonner la Californie. Rejetant des offres de stage prestigieuses, Nora se joignit à eux et, au volant d'un Winnebago de location, Kevin emmena sa petite famille par monts et par vaux. D'emblée, David traita Nora comme une grande sœur. Loin d'en être irritée, ce que son père avait craint, la jeune femme en fut ravie, et les deux cousins développèrent rapidement une complicité dont Kevin était souvent exclu.

Plus que Yosemite, Death Valley ou Disneyland, ce fut Point Dume et Westward Beach qui enthousiasmèrent le plus le garçon. S'ébattre dans les eaux mythiques abritant Mina, Bobby et Zorgaël, observer dans leur environnement naturel dauphins, phoques et pélicans – à défaut de requins, qui demeurèrent hors de vue – et s'initier au surf furent, pour lui, les points forts du voyage. À son insistance, ils renoncèrent à pousser jusqu'à San Diego pour prolonger leur séjour à Malibu. Et de retour dans le Vermont, ces expériences furent le ferment de nouvelles aventures écrites par Kevin et illustrées par son neveu.

Si bien que, fin septembre, Kevin était en possession d'un manuscrit suffisamment étoffé pour être envoyé à son ancien agent.

65

Au-delà des fenêtres de la cuisine, le soleil baissait derrière les sommets recouverts des couleurs flamboyantes de l'automne. Kevin terminait de laver la vaisselle quand le téléphone sonna.

«Kevin? C'est Norman.»

Kevin sourit. Cela faisait bien longtemps qu'il n'avait pas entendu la voix de son agent. «Norm, ne me dis pas que tu travailles encore à cette heure-ci? Tu as passé l'heure de l'apéro!

— Et tu vas m'en être reconnaissant, fit la voix excitée à l'autre bout du fil. Random House vient de me contacter. Je leur avais envoyé les *Aventures de Mina* que tu m'avais soumises il y a quelques semaines. Tiens-toi bien, ils sont emballés et prêts à signer un contrat des plus costauds. Tu as décroché le pompon, Kev. Félicitations!

— Je n'arrive pas à y croire… balbutia Kevin.

— Ils n'ont qu'une condition… ajouta l'agent d'une voix soudain hésitante. Ils veulent que les illustrations soient faites par un artiste de leur choix. Quelqu'un de connu. Ça n'est pas négociable.»

Kevin regarda silencieusement David. Assis à la table de la cuisine, il finissait ses devoirs, l'auburn de ses cheveux reflétant les lueurs du couchant. Le garçon leva les yeux et ils échangèrent un sourire.

«Dis-leur que je les remercie, mais que ma réponse est non, énonça Kevin calmement.

— Quoi? Tu es fou! protesta Norman. Après avoir ramé toutes ces années, tu ne vas tout de même pas renoncer à cette opportunité? C'est ta carrière qui est en jeu.

— J'ai mieux qu'une carrière, Norm», répondit-il avant de raccrocher.

Point Dume – California

Rattlesnake Point – Vermont

Glossaire

AMBER ALERT: Acronyme pour America's Missing: Broadcast Emergency Response, système d'alerte d'enlèvement d'enfants créé aux États-Unis en 1996 et couramment utilisé dans vingt-deux pays. L'alerte est distribuée sur toutes les stations de radio (commerciales, Internet, satellites) et de télévisions, par emails et SMS, sur les panneaux électroniques de gestion de trafic routier et panneaux publicitaires électroniques, ainsi que sur certains sites Google, Bing et Facebook.

Arrestation par Simple Citoyen ou Citizen's Arrest: Dans les pays à juridiction de droit commun, tels le Royaume-Uni, l'Australie, le Canada et les États-Unis, tout individu a le droit d'arrêter et de détenir, sans mandat, une personne qu'il a de bonnes raisons de suspecter d'avoir commis un crime ou un délit, même s'il n'en a pas lui-même été le témoin. L'usage de la force, y compris de la force meurtrière, est autorisé dans les limites raisonnables et nécessaires à l'arrestation. Certains États américains interdisent l'usage de la force meurtrière à l'exception des cas où la personne effectuant l'arrestation ou un autre individu est confrontée à la menace de préjudice corporel grave ou d'utilisation immédiate de force meurtrière.

BOLO: Be On the Look-Out, avis de recherche.

College : Université.

Fed : Agent fédéral.

High school : Lycée.

NCAVC : Le National Center for the Analysis of Violent Crime est un département du FBI dont le rôle est d'assister les forces de l'ordre fédérales, d'État, locales et étrangères enquêtant sur des crimes insolites ou en série. Il est composé de trois sections : le Behavioral Analysis Unit (BAU), qui utilise les sciences du comportement pour assister les enquêtes criminelles, le Child Abduction and Serial Murder Investigative Ressources Center (CASMIRC), dont le but est de fournir un support d'enquête dans le cadre d'enlèvements d'enfants, disparitions mystérieuses d'enfants, meurtres d'enfants et meurtres en série, et le Violent Criminal Apprehension Program (ViCAP), une base de données nationale destinée à collecter, collationner et analyser les crimes de violence.

Sophisme (ou paralogisme) du joueur : Idée erronée que la probabilité d'un événement lié à une expérience aléatoire (comme le tirage à pile ou face d'une pièce de monnaie) augmente ou diminue en fonction des occurrences précédentes, alors qu'en fait sa probabilité est fixe.

SSA : Supervisory Special Agent (agent spécial superviseur), agent en charge d'une agence locale du FBI, elle-même dépendante d'un bureau régional, qui lui est dirigé par un Special Agent in Charge (agent spécial en charge) ou SAC. Le Vermont dépend du bureau régional d'Albany.

State troopers : Police d'État du Vermont.

Remerciements

Je tiens à remercier de tout cœur les personnes suivantes :

Mon ami, FBI Special Agent Colin Simons, pour m'avoir familiarisé avec la structure opérationnelle du FBI.

Ma femme Lili, pour avoir toujours su me motiver.

Mon fils Liam, pour ses précieuses informations concernant de multiples procédures scolaires, et, avec ma fille Liv, pour m'avoir aidé à garder les pieds sur terre et apporté leur constant support par leurs sourires et leur tendresse.

Ma belle-sœur Mylène, qui n'a jamais cessé de croire en moi, même lorsque je n'y croyais plus, pour son affection et sa complicité.

Mon éditeur et ami Thierry Billard, pour son amitié, son soutien et sa patience infatigable, ainsi que pour ses conseils toujours judicieux.

Ma fidèle lectrice-correctrice Virginie Plantard, pour son œil avisé, son sens aigu du texte et ses excellentes suggestions.

Mes lecteurs, pour leur intérêt envers mes livres et leurs nombreux messages souvent très touchants et toujours encourageants.

Et toi, mon Dad, pour ton amour, ta confiance et ta perspective de la vie.

Merci, thank you.

Pour en savoir plus
sur les Éditions Plon
(catalogue, auteurs, vidéos, actualités…),
vous pouvez consulter
www.plon.fr
www.lisez.com

et nous suivre sur les réseaux sociaux

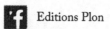 Editions Plon

 @EditionsPlon

 @editionsplon

MIXTE
Papier issu de
sources responsables
FSC® C003309
www.fsc.org

L'Éditeur de cet ouvrage s'engage
pour la préservation de l'environnement
et utilise du papier issu de forêts gérées
de manière responsable.

Imprimé en France par CPI
en mars 2019

pour le compte des Éditions Plon
12, Avenue d'Italie 75013 Paris

N° d'impression : 151640
P26354E/01